# SIANI AM BYTH!

# Siani am Byth!

Anwen Francis

Gomer

I Jeremy Jones B.V.Sc., MRCVS
Milfeddygfa Tysul, Llandysul

Cyhoeddwyd yn 2009 gan Wasg Gomer,
Llandysul, Ceredigion SA44 4JL
www.gomer.co.uk

ISBN 978 1 84851 044 9

Dymuna'r cyhoeddwyr gydnabod cymorth
Adrannau Cyngor Llyfrau Cymru.

Argraffwyd a rhwymwyd yng Nghymru
gan Wasg Gomer, Llandysul, Ceredigion.

# Pennod 1

Gorweddai'r gwartheg yng nghanol porfa felys yr haf a sgrechiai'r gwylanod uwchben wrth heidio am y lan.

'Edrychwch Dad, mae'n rhaid bod 'na storm ar y ffordd,' meddai Beca gan edrych i gyfeiriad y môr ac Ynys Aberteifi.

Roedd yr awyr uwchben yn llwyd-ddu ac edrychai dŵr y môr yn ffyrnig. Tasgai'r tonnau'n wyllt wrth daro'n galed yn erbyn y creigiau. Roedd y traeth yn wag. Doedd neb yn ddigon dewr i wynebu'r tywydd stormus.

'Gwell i ni gael Siani a Sionyn i'r stabl,' awgrymodd Mr Lewis gan fynd gyda Beca i roi help llaw iddi. 'Rhaid i ni fwrw ati

hefyd neu fe fyddwn ni'n cael ein dal gan y storm.'

Erbyn cyrraedd y cae at Siani a Sionyn, dechreuodd fwrw glaw – glaw mân i ddechrau ac yna diferion mawr bras. Rhedodd Beca am gysgod y stabl a throtiodd Siani'n ufudd y tu ôl iddi, yn amlwg yn falch o gael lloches hefyd.

'Jyst mewn pryd,' meddai Beca gan esmwytho gwddf y gaseg fach.

Clymodd Mr Lewis rwyd o wair ar gyfer y ddau anifail cyn llenwi'r bwcedi dŵr hyd yr ymylon. Roedd Siani a Sionyn wrth eu bodd yn rhannu stabl ac roedden nhw'n gwmni mawr i'w gilydd, yn enwedig yn y nos pan fyddai'n oer ac yn dywyll. Wedi i Mr Lewis gau drws y stabl yn ddiogel, aeth ati i fwydo ei geffylau hela a llenwi eu bwcedi dŵr hwythau hefyd.

Ar ôl gorffen trin y ceffylau, dechreuodd fwrw glaw o ddifri. Trawai'r diferion mawr yn galed yn erbyn to sinc y stablau. Roedd y sŵn bron yn fyddarol, ac fe fyddai Beca'n wlyb at ei chroen petai'n mentro allan yn y fath dywydd. Ymhen rhai munudau roedd dŵr yn llifo fel nant fechan ar hyd y clos, cyn rhedeg yn swnllyd i'r gwter.

'Anodd credu ei bod hi'n fis Gorffennaf,' meddai ei thad wrth ymuno â Beca yng nghysgod y stabl. 'Diolch byth ein bod ni wedi casglu'r gwair i gyd neu fe fyddai'r bêls wedi'u sarnu.'

'Mae hi wedi bwrw bron bob dydd yn ystod y gwyliau hyd yn hyn,' meddai Beca'n siomedig. 'Hy! Llawn cystal i fi fod 'nôl yn yr ysgol! Dyw hi ddim yn deg. Ddim yn deg o gwbl!' ychwanegodd yn siomedig.

Ar ddiwedd blwyddyn arall yn yr ysgol, roedd hi wedi edrych ymlaen at gael treulio gwyliau'r haf yn yr awyr iach gyda'i ffrindiau a Siani. Ond hyd yn hyn, roedd pob parti, barbeciw a digwyddiad wedi cael eu difetha gan y tywydd garw, gwlyb. Roedd sawl sioe wedi cael eu canslo, ac roedd hyd yn oed y Sioe Frenhinol yn Llanelwedd wedi bod yn fôr o fwd eleni. Tybed a fyddai Sioe Aberteifi yn mynd yn ei blaen yr wythnos nesa, meddyliodd Beca iddi'i hun. Y sioe hon oedd ei hoff sioe ac roedd hi a'i ffrind Hugo'n bwriadu mynd â Siani a Sionyn yno i gystadlu – Siani dan gyfrwy a Sionyn mewn llaw. Roedd Rhys hefyd wedi bwriadu cystadlu yn nosbarth y triniwr gorau dan bymtheg oed. Ond, gan ei fod yn gymaint o gollwr gwael, roedd e wedi penderfynu gwylio'r dosbarth yn hytrach na chymryd rhan. Roedd Mr Lewis yn dal i bendroni a oedd e'n mynd i ddangos ei gaseg hela yn y dosbarth i geffylau hela mewn llaw ai peidio, tra oedd sôn bod Nia hefyd am gystadlu gyda'i phoni, Osian. Roedd diwrnod y sioe yn siŵr o fod yn ddiwrnod a hanner ac edrychai Beca ymlaen yn arw at gael cystadlu yno unwaith eto eleni.

Wrth i Beca edrych yn freuddwydiol ar yr awyr dywyll, fflachiodd mellten dairfforchog uwchben y fferm. Tasgodd Siani a Sionyn mewn ofn, ac roedd Beca'n edrych fel cwningen fach ofnus wedi'i dal yng ngolau car.

'O Dad, dewch i'r tŷ wir! Mae'n gas gen i fellt a tharanau,' mwmialodd yn ofnus. Plannodd Beca ei phen yn ddwfn yng nghot ei thad.

'Dere di,' meddai hwnnw, 'fe fyddi di'n iawn. Nawr, ar ôl tri, fe wnawn ni redeg fel y gwynt tuag at y tŷ. Barod? Un . . . dau . . . tri!'

Doedd Beca erioed wedi teimlo mor hapus o gael cyrraedd diogelwch ei chartref.

'Wel, am storm Anna!' meddai Mr Lewis wrth ei wraig.

'Mae'r trydan newydd ddiffodd hefyd,' atebodd hithau'n llawn gofid. 'Mae'n mynd i fod yn ddiwrnod hir,' ychwanegodd eto gan rolio'i llygaid.

'Ac yn noson hir iawn heb deledu 'fyd!' meddai Rhys yn bwdlyd o'r soffa. 'Dim radio, dim Nintendo Wii, dim byd! Boring! Be wna i drwy'r nos?' holodd yn ddiflas.

'Darllen nofel . . . neu wneud dy waith cartref yng ngolau cannwyll, falle,' awgrymodd Mr Lewis gan sychu ei wallt gyda thywel sychu llestri.

'Doniol iawn, Dad!' atebodd Rhys. 'Dw i ar fy ngwyliau a dw i ddim yn bwriadu gwneud unrhyw waith cartref drwy'r haf! O! Dw i'n bôrd!'

Cleciodd y taranau uwchben unwaith eto.

'Mae'r storm yn agosáu,' meddai Mrs Lewis. 'Gyda thipyn bach o lwc, efallai y bydd hi wedi mynd heibio erbyn amser swper,' ychwanegodd gan edrych ar y mellt yn fflachio uwchben y môr. Doedd dim posib gweld yr ynys bellach oherwydd y niwl trwchus oedd yn dew dros y bae.

'Hy! Dw i ddim yn gwybod beth fydd hanes y sioe yr wythnos nesa! Bydd y cae'n draed moch os bydd hi fel hyn.'

Mr Lewis oedd is-lywydd Sioe Aberteifi eleni ac roedd e wedi bod yn croesi ei fysedd ers wythnosau y byddai'r tywydd o'u plaid.

Edrychai Beca'n ofnus. Doedd hi erioed wedi gweld y fath storm. Meddyliodd am Siani a Sionyn yn eu stabl. O leiaf roedden nhw'n ddiogel ac roedd ganddyn nhw ddigon o fwyd a dŵr tan y bore, meddyliodd iddi'i hun.

Glawiodd yn drwm weddill y prynhawn wrth i'r mellt ddal i fflachio'n fileinig.

'Wel, brechdanau amdani 'te,' meddai Mrs Lewis wrth i'r hen gloc wyth niwrnod daro pump o'r gloch.

'Diflas,' atebodd Rhys o'i gadair.

'Wel, sdim fawr o ddewis gyda ni'n

anffodus,' atebodd ei fam yn swrth. 'Sdim trydan gyda ni nes bydd yr hen Aga 'na'n cael ei thrwsio a sdim modd coginio fawr o ddim . . .'

'Beth am gael *takeaway*?'

'Beth? Mentro mynd allan yn y tywydd 'ma? Fyddai neb yn ei lawn synnwyr yn mentro mynd i unman yn y fath storm. Mae'n beryg bywyd, Rhys bach,' esboniodd ei fam. 'A ta beth, siawns nad oes gyda nhw drydan chwaith!'

Eisteddodd y teulu wrth fwrdd y gegin gyda golau cannwyll ar y silff ben tân yn taflu golau crynedig gwan, ond digon croesawgar, dros yr ystafell.

'Dychmygwch blant, fel hyn roedd bywyd slawer dydd – dim ond golau cannwyll, dim trydan na theledu . . .' esboniodd Mr Lewis.

'Mae'n anodd dychmygu hynny,' atebodd Beca.

Yn frawychus o sydyn, cleciodd taran uwchben y tŷ. Tasgodd Rhys o'i gadair.

'Nefi wen, roedd honna'n agos,' meddai a'i fochau'n gwrido i gyd. Eisteddodd yn ôl yn ei gadair, yn ceisio cuddio'i embaras ar ôl iddo ymateb fel llwfrgi i'r storm.

Ceisiodd Mr Lewis ei gysuro gyda gwên er nad oedd yntau chwaith yn teimlo'n rhyw sicr iawn. Roedd y daran ddiwethaf yna'n agos, yn rhy agos o lawer, a theimlai'n annifyr. Mewn deugain o flynyddoedd doedd e erioed wedi gweld tywydd tebyg.

# Pennod 2

Fflachiodd mellten fforchog arall uwch eu pennau.

'Arswyd y byd!' gwaeddodd Mrs Lewis gan godi o'i sedd ac edrych allan ar y clos drwy ffenest y gegin. 'Fe fyddwn ni'n cael llifogydd os bydd hi'n dal i fwrw fel hyn.'

Dawnsiodd mellten arall yn fygythiol ar draws yr awyr ddu ac un arall . . . ac un arall eto. Doedd dim stop arni!

Yn y pellter roedd sŵn cyfarwydd yn dechrau cynhyrfu. Ie, meddyliodd Beca, dyna sŵn yr injan dân. Roedd hi'n amlwg yn mynd ar ras i rywle ac wrth ei chwt, clywyd sŵn ambiwlans neu gar heddlu.

'Mae rhywun yn ei chanol hi,' ebychodd Mr Lewis.

'Trueni . . .' ychwanegodd Mrs Lewis yn llawn cydymdeimlad wrth gnoi ei gwefus yn bryderus.

'Hisht!' poerodd ei gŵr yn sydyn. ''Ych chi'n clywed y sŵn 'na? Mae rhywun yn dod lawr y lôn . . . Ond pwy sydd am fentro allan yn y tywydd 'ma?' holodd. 'Rhys, nid ti sydd wedi archebu *takeaway*, gobeithio?' gofynnodd.

'Nage wir! Ond byddai *chicken tikka masala* bach, *poppadum* a thipyn o reis yn plesio'n iawn 'fyd!' ychwanegodd Rhys yn chwareus.

'O! Mrs Hwmffra sydd 'na . . . yn ei char newydd,' meddai Mr Lewis, oedd yn sbecian yn ofalus drwy'r llenni. 'Mae hi o'i cho'n mentro allan yn y tywydd 'ma! Rhaid bod rhywbeth o'i le!'

Sgrialodd Mrs Hwmffra yn ei char coch metalig newydd i'r clos cyn gwasgu'r breciau'n galed. Agorodd ddrws y car cyn

brasgamu tuag at ddrws ffrynt y ffermdy fel llygoden ffyrnig yn chwilio am ddiogelwch ei chartref clyd.

'Mrs Hwmffra! Dewch i mewn. Beth 'ych chi'n ei wneud allan yn y fath dywydd?' gofynnodd Mrs Lewis wrth ei chroesawu i'r tŷ.

Ond fedrai Mrs Hwmffra ddim dweud yr un gair. Roedd hi methu'n lân â chael ei hanadl. 'Aneurin! Aneurin bach!' bloeddiodd gan bwyntio at y car.

'Beth sy'n bod, Mrs Hwmffra?' holodd Mrs Lewis eto gan gymryd ei llaw.

Roedd wyneb cochbiws Mrs Hwmffra'n wlyb gan chwys a glaw a'i dwylo oer yn crynu'n afreolus. Llyncodd yn galed cyn rhoi cynnig arall arni.

'Mae Aneurin yr asyn . . . wedi dianc. Mae e wedi diflannu! Sdim sôn amdano'n unman. Allwch chi helpu . . . plis?'

## Pennod 3

'Aneurin! Aneurin bach! Mae Mami 'ma,' sgrechiodd Mrs Hwmffra'n grynedig drwy ffenest y gegin. 'Aneurin! Dere at Mami i gael dy foron ffres.'

'Bydd popeth yn iawn nawr, Mrs Hwmffra fach!' meddai Mr Lewis gan geisio cysuro'r hen wraig. Gosododd ei fraich am ei hysgwydd yn garedig.

'Nawr 'te, dechreuwch yn y dechrau. Beth sydd wedi digwydd?'

Snwffiodd Mrs Hwmffra i'w hances amryliw cyn dechrau adrodd yr hanes.

'Wel . . . fe es i â bwyd i farchnad y ffermwyr yn y dre . . . ac wrth ddadlwytho'r

cacennau, sylwais fod yr awyr yn ddu . . .
a meddyliais fod yn well i fi ddychwelyd
adref ar unwaith i ddal Aneurin bach a
mynd ag ef i'w stabl . . . cyn i'r tywydd
droi'n arw . . .' Cydiodd yn ei hances
unwaith eto a dechrau sychu corneli ei
llygaid. 'Fe lwyddes i arwain yr asyn bach
i'w stabl ym mhen draw'r cae . . . ond wrth
i mi wneud hynny, dyma fellten yn goleuo'r
awyr uwch ein pennau a dechreuodd
Aneurin wylltio'n ofnadwy. Roedd e wedi
cael braw, braw ofnadwy, a thynnodd a
thynnodd am yn ôl. Doedd dim posib i mi
ddal gafael yn y penwast . . . a doedd dim
dewis gen i ond ei adael yn rhydd. O diar,
diar! Carlamodd oddi yno . . . drwy'r ffens
bren ac allan . . . i'r ffordd fawr . . . ac o'r
golwg. A bellach mae Aneurin bach . . .
wedi diflannu!' esboniodd, a'i llais yn
codi'n sgrech hysteraidd.

Wrth i'r gwynt chwyrlïo'n ffyrnig
uwchben Parc yr Ebol, dechreuodd Mr

Lewis bryderu am ddiogelwch pawb ac am ddiogelwch asyn bach diniwed Mrs Hwmffra a oedd allan yn y fath storm.

'Dewch nawr, Mrs Hwmffra!' meddai'n gysurlon. 'Fedrwn ni ddim mentro allan yng nghanol y dilyw yma. Ond cyn gynted ag y bydd y storm wedi tawelu, fe awn ni allan i chwilio amdano,' meddai Mr Lewis. 'Nawr 'te, beth am gael diferyn bach o sieri i setlo'ch nerfau?'

Bodlonodd Mrs Hwmffra ar hynny ac eisteddodd y teulu a hithau o amgylch y bwrdd gan gadw eu clustiau ar agor wrth wrando ar y dymestl y tu allan.

'Mae'n rhaid ei fod wedi dod o hyd i gysgod yn rhywle . . . does bosib? Mae asynnod yn anifeiliaid clyfar iawn, wyddoch chi,' meddai Mrs Lewis yn garedig.

'Ac mae Aneurin yn asyn sbesial iawn hefyd,' ychwanegodd Beca.

'Ond druan ag e! Dyw e ddim yn hoff o daranau, mae hynny'n siŵr i chi!'

esboniodd Mrs Hwmffra gan dynnu anadl ddofn. Ochneidiodd mewn anobaith, ei hwyneb erbyn hyn yn welw. Llyncodd lymaid o'r sieri'n ddiolchgar.

Ochneidiodd Mr Lewis yn uchel hefyd. Syllodd ar wyneb truenus ei gymdoges a'r dagrau'n powlio i lawr ei bochau. Daro! Fedrai e ddim dioddef yr holl dorcalon eiliad yn hwy. Byddai'n rhaid iddo ildio. Tywydd garw neu beidio, byddai'n rhaid iddo fynd allan i chwilio am yr asyn bach cyn y byddai Mrs Hwmffra yn mynd o'i cho!

''Ych chi'n siŵr!' meddai hithau gan sniffian.

'Wrth gwrs, Mrs Hwmffra fach!' atebodd Mr Lewis wrth wisgo'i welingtons.

Arhosodd Mrs Hwmffra yn y tŷ gyda Mrs Lewis, ond fedrai Beca a Rhys ddim gadael i'w tad fynd allan ar ei ben ei hun.

'Wedi'r cyfan, Dad, mae tri phâr o lygaid yn well nag un pâr,' awgrymodd Beca.

Doedd teithio mewn car adeg storm ddim

yn brofiad pleserus o gwbl, a chuddiodd Beca ei phen yn ei chot. Caeodd ei llygaid a theimlai fel suddo'n ddwfn i'w sedd wrth i daran arall glecio'n swnllyd uwch eu pennau.

Er mwyn lleddfu ei gofidiau, penderfynodd Mr Lewis chwarae gêm o gyfrif faint o eiliadau oedd 'na rhwng pob mellten a tharan. Trawodd y fellten nesaf a dechreuodd Mr Lewis gyfrif.

'Un . . . dwy . . .'

Ac wrth iddo agor ei geg i ddweud tair, dyma daran arall. Doedd e ddim wedi dychmygu bod y storm yn union uwch eu pennau. Roedd y glaw'n llifo fel afon ar draws y ffordd a'r caeau isel yn cael eu llyncu'n raddol gan yr afon Teifi.

'Dw i ddim yn hapus ein bod ni allan yn y storm 'ma,' meddai Mr Lewis gan syllu ar yr awyr. 'Bydd gan yr hen asyn 'na ddigon o synnwyr i gysgodi yn rhywle.'

'Dw i ddim yn hapus fy mod i allan yn y tywydd 'ma chwaith. Dw i erioed wedi gweld y fath law, Dad,' ychwanegodd Beca'n bryderus.

'Wel, dw i wrth 'y modd!' meddai Rhys yn herfeiddiol gan syllu ar yr afon a oedd erbyn hyn yn llyncu pob brigyn a changen a oedd yn ei ffordd.

Gyrrodd y tri heibio i'r maes carafannau ar ochr orllewinol yr afon. Roedd yna sawl carafan yng nghanol y dŵr bellach ac ymwelwyr yn rhedeg oddi yno'n cario bocsys mawr o ddillad ac eiddo personol a'u rhoi'n ddiogel yn eu ceir cyn troi am adref.

Arafodd Mr Lewis ychydig a mentrodd agor rhywfaint ar y ffenest.

'Popeth yn iawn yma, Carlo?' gofynnodd Mr Lewis i berchennog y maes carafannau.

'Ry'n ni'n disgwyl i'r afon godi eto a rhaid i bawb fynd oddi yma neu fe gollwn ni'r cyfan!' atebodd Carlo gan sychu ei dalcen â llawes ei got.

'Alla i dy helpu di o gwbl?' holodd Mr Lewis.

'Na! Diolch i ti, ond ry'n ni ar ben. Mae'r mwyafrif o'r ymwelwyr wedi cael lloches yn neuadd y dre, tra bod y lleill wedi mynd adre.'

'Dwyt ti ddim wedi gweld asyn o gwbwl, wyt ti?' holodd Mr Lewis eto. 'Aneurin yw ei enw e. Mae e ar goll ers tua amser cinio ac mae ei berchennog e bron â thorri ei chalon!'

'Nadw, sori.'

'Wel, ffonia os gweli di rywbeth 'te!' ychwanegodd Mr Lewis.

Doedd dim sôn am Aneurin yn unman. Doedd e ddim ar y traeth nac yn bwyta'r meillion melys wrth ochr y ffordd. Er iddyn nhw ymweld â rhai o hoff lefydd Aneurin – castell Aberteifi, y cae rygbi a chae'r ysgol uwchradd lle byddai Mrs Hwmffra yn mynd ag ef am dro ambell noson – doedd dim golwg ohono'n unman.

Wrth i fellten arall ymestyn ei breichiau fforchog ar draws yr awyr, roedd Mr Lewis yn bendant ynglŷn â'r cam nesaf.

'Ewn ni adre, blantos,' meddai Mr Lewis. 'Mae'n beryg bywyd. Fe wnawn ni ailddechrau chwilio pan fydd hi'n ddiogel.'

## Pennod 4

Eisteddodd y teulu o amgylch bwrdd y gegin yng ngolau cannwyll. Roedd sŵn y diferion glaw yn taro yn erbyn ffenest y gegin yn fyddarol ac roedd yn rhaid i bawb godi eu lleisiau er mwyn clywed ei gilydd yn siarad.

Meddyliodd Beca'n galed. Ble ar wyneb y ddaear allai Aneurin fod yn cuddio? Ceisiodd feddwl am ei hoff le pan fyddai'n mynd ag Aneurin am dro.

Roedd e bob amser yn hoffi bwyta'r meillion ar hyd ffordd y traeth – byddai'n crwydro ling-di-long wrth dynnu'r glaswellt hir o'u gwreiddiau ar ymylon y llwybr cerdded a byddai wrth ei fodd yn bwyta'r drain ger fferm y Ffald ar y ffordd adref.

'Mae'r tywydd yn gwaethygu! Dw i erioed wedi gweld y fath wynt a glaw yr adeg yma o'r flwyddyn,' esboniodd Mr Lewis gan edrych allan drwy ffenest yr ystafell fyw a syllu ar y môr. 'Rhaid bod y tywydd ofnadwy yma yn rhywbeth i'w wneud â'r newid yn yr hinsawdd.'

'Mae'n rhaid,' meddai Mrs Hwmffra heb godi'i phen. 'Y *global warning* 'na, siŵr o fod.'

Ac er mor drychinebus oedd y sefyllfa, fedrai Mr a Mrs Lewis a'r plant ond chwerthin yn dawel bach ar gamgymeriad yr hen wraig.

Chwipiai'r gwynt y tonnau'n galed yn erbyn y creigiau, a'r tonnau wedyn yn llyfu'r cerrig mân a'u chwydu dros y traeth mewn tymer wyllt gan hisian a sïo wrth suddo'n ôl i'r môr. Udai'r gwynt drwy'r bwlch yn fframyn y drws cyn cyrraedd crescendo brawychus.

Drwy ddefnyddio'i radio batri, gwran-dawodd Mr Lewis ar y bwletin newyddion am saith o'r gloch:

Mae'r storm yn mynd o nerth i nerth. Mae nifer o dai a busnesau yng ngorllewin Cymru wedi'u heffeithio gan lifogydd. Caewyd sawl ffordd yn ardal Llanfair-ym-Muallt ac mae 'na drafferthion ar nifer o ffyrdd eraill ar draws Cymru. Mae pob gwasanaeth trên ar stop ac mae'r llongau fferi o Abergwaun wedi'u canslo heddiw.

Siglodd Mr Lewis ei ben cyn eistedd i lawr unwaith eto wrth y bwrdd.

'Wel, dw i'n dangos fy oedran nawr ond yn Aberystwyth ym 1938, dwi'n cofio'r storm fwyaf erioed yn hanes y dre,' meddai Mrs Hwmffra. 'Roedd nifer o dai ar y promenâd wedi'u difetha ac fe gollwyd dau gan troedfedd o'r pier gan y dymestl.'

'Waw! Byddai gweld y tai 'na'n cael eu

dymchwel gan y dŵr yn grêt,' meddai Rhys. 'Am gyffro!'

'Ie, am gyffro,' ychwanegodd Mrs Hwmffra. 'A dyma ni, ryw saith deg o flynyddoedd yn ddiweddarach, yn wynebu storm arall debyg. Ac mae Aneurin allan yn ei chanol!' ebychodd gan siglo'n ôl ac ymlaen yn ei chadair.

'Efallai ei fod e'n cuddio yn y garej ac yn wilibowan o amgylch yr hen geir a'r ceir rali,' meddai Rhys yn hyderus.

'Neu efallai ei fod e yn y sièd wartheg yn bwyta'r gwair,' ychwanegodd Mr Lewis. 'Mae e'n hoff o'i fwyd fel Siani fach.'

'Cuddio rhag y glaw mae e, gewch chi weld,' awgrymodd Mrs Lewis yn garedig. 'Fe ddaw e adre wedi i'r glaw gilio,' meddai gan estyn ei braich yn dyner o amgylch ysgwyddau Mrs Hwmffra a'i gwasgu'n dynn.

Wylodd Mrs Hwmffra i'w ffedog goch.

'Aneurin bach, babi blewog Mami . . . dere 'nôl, cariad bach, cyn iddi nosi . . .'

## Pennod 5

Edrychodd Beca allan drwy ffenest y gegin. Roedd popeth yn wlyb diferu, ac yn y pellter, uwchben fferm y Ffald, ar yr ochr bellaf i'r dref, gallai weld goleuadau'n ymddangos yn y tai.

'Hwrê,' meddai. 'Mae'r trydan 'nôl!'

Drwy lwc, roedd y tywydd yn dechrau gwella'n raddol, felly penderfynodd Beca fynd i weld Siani a Sionyn yn eu stabl er mwyn gwneud yn siŵr eu bod nhw'n iawn.

Yng nghanol holl arswyd y storm, doedd neb wedi sylweddoli bod drws stabl Siani yn gilagored. Doedd neb chwaith wedi gweld y tail ffres ar y clos, a doedd neb wedi clywed clepiadau'r drws yn tasgu ar agor ac ar gau yn y gwynt.

Wrth nesáu at stabl Siani, gallai Beca weld fod y drws wedi torri! Cyflymodd ei chamau ar hyd y clos. Chwyrlïai pob math o feddyliau drwy ei phen fel nodwyddau poeth. Beth os oedd y storm wedi codi braw ar Siani a Sionyn a bod y ddau wedi llwyddo i dorri'r drws a dianc? Efallai fod Siani a Sionyn wedi diflannu fel Aneurin!

Agorodd Beca'r drws mewn panig gwyllt ac edrychodd i berfeddion y stabl. Ac am sioc!

'Mam! Dad! Mrs Hwmffra! Dewch yma glou!' gwaeddodd Beca ar draws y clos.

Rhedodd y tri, gyda Rhys yn eu dilyn, allan o'r tŷ a draw at stabl Siani. A dyna beth oedd golygfa: Siani, Sionyn ac Aneurin yn cydfwyta allan o'r un rhwyd wair.

'O! Babi Mami,' wylodd Mrs Hwmffra gan redeg ato a rhoi cusan anferth ar ei fwsel blewog. Udodd Aneurin ar ei berchennog. 'Dyma ti! Dyma foronen fawr ffres i ti, cariad bach,' meddai drwy ei dagrau.

'Wel, mae'n edrych yn debyg mai fan hyn mae e wedi bod drwy gydol y storm gan fod ei got e'n gynnes ac yn sych,' meddai Mr Lewis yn syn.

'A ninnau wedi bod yn poeni'n arw ac wedi chwilio ym mhob twll a chornel amdano,' chwarddodd Mrs Lewis mewn rhyddhad.

'Gwell i fi drwsio'r drws 'ma cyn i Siani a Sionyn ddianc hefyd. Dw i ddim am fynd ar grwydr eto heno,' ychwanegodd Mr Lewis gan roi winc ar Beca.

# Pennod 6

Drannoeth, a hithau'n dechrau glawio eto, roedd hi'n bryd i Mr Lewis fynd i gyfarfod brys yn y dref i drafod trefniadau Sioe Amaethyddol Aberteifi. Er bod wythnos gyfan cyn y sioe, roedd yr holl dywydd stormus yn golygu y gallai fod yn y fantol. Roedd hi'n dal i fwrw glaw'n drwm y tu allan a doedd rhagolygon y tywydd am yr wythnos i ddod ddim yn rhy ffafriol chwaith.

Eisteddodd y cadeirydd, y trysorydd a'r ysgrifenyddes ar y llwyfan gyda gweddill y pwyllgor yn eistedd islaw.

'Mae'n rhaid i ni fwrw mlân a chynnal y sioe 'ma,' meddai Mr Elis-Puw, Nant-y-

Moch. 'Fedrwn ni mo'i gohirio. Mae Sioe Aberteifi yn rhan annatod o'r tymor cystadlu. Beth yw 'bach o law wedi'r cwbwl?' holodd.

Roedd golwg amheus ar wyneb sawl aelod o'r pwyllgor. Roedd Waldo Bwlch-llan yn methu'n lân â chredu agwedd Elis-Puw.

''Bach o law?' meddai. 'Mae hi wedi bwrw fel hyn bron bob dydd drwy'r haf. Mae hi fel monsŵn 'ma a dw i heb gael y gwair i mewn o hyd!' cododd ei lais gan boeri yma a thraw yn ei dymer. 'A ta beth, fyddwch chi ddim yn gadael y babell fawr ar y diwrnod i'n helpu ni'r gweithwyr!' bloeddiodd a'i ddannedd dodi'n clecian yn ei geg a'i aeliau'n crynu'n afreolus.

'Nawr, nawr, nid brwydr bersonol yw hon!' meddai'r cadeirydd gan rolio'i lygaid. 'Dewch i ni drafod hyn yn gall!'

Dechreuodd yr aelodau siarad ymysg ei gilydd. Roedd y tensiwn yn amlwg wrth i bawb gynhyrfu yn eu seddau.

'Dyw hi ddim yn ddiogel i gynnal sioe yn y fath dywydd. Chewch chi neb i'ch cefnogi. Dyna 'marn i am y peth!' ychwanegodd Waldo gan eistedd yn ôl yn ei gadair a phlethu ei freichiau'n awdurdodol.

'O, tewch â sôn, Waldo bach. Glaw yw glaw,' dechreuodd Mr Elis-Puw unwaith eto gan chwerthin dros y lle i gyd. 'Ry'ch chi'n gofyn am drwbl. Gohiriwch chi'r sioe a fydd hi fyth yr un peth 'to. Rhaid i'r sioe fynd yn ei blaen er gwaetha'r glaw trwm!'

'Ust, ust,' mentrodd Mr Harris, y cadeirydd, o'r llwyfan, gan geisio torri ar draws y lleisiau taer. 'Gadewch i ni drafod hyn fel oedolion synhwyrol.'

Ond roedd Waldo yn gwrthod gwrando. 'Meddyliwch am y mwd fydd 'na. Bydd cael y lorïau a'r bocsys ceffylau i mewn ac allan o'r maes yn ben tost. Bydd angen tractors, rhaffau ac ati. A beth am y rheolau iechyd a diogelwch? Credwch chi fi, does neb yn mwynhau sioe wlyb! Ddaw neb i'n cefnogi,' ychwanegodd Waldo.

Cliriodd Mr Lewis ei wddf cyn siarad. 'Os gwnawn ni gydweithio yn yr un ffordd ag arfer, does dim un rheswm pam na ddylai'r sioe fynd yn ei blaen. Ry'ch chi i gyd wedi clywed y dywediad "mewn undeb mae nerth".'

Cytunodd Mr Elis-Puw. 'Clywch! Clywch!' meddai gan wenu. 'Ti'n eitha reit, Lewis!' ychwanegodd.

'Hy!' poerodd Waldo.

'Pawb sy'n cytuno i godi eu dwylo.'

A chyda thipyn o gwyno a grwgnach, penderfynwyd cynnal y sioe er gwaethaf y tywydd.

# Pennod 7

Hedfan heibio wnaeth yr wythnos wedi'r cyfarfod brys ac, er nad oedd hi wedi bwrw glaw'n drwm bob dydd ers hynny, roedd effaith y tywydd i'w gweld ar faes y sioe. Roedd peiriannau mawr y stondinwyr wedi malu'r ddaear a thractors y ffermwyr wedi difetha'r borfa las wrth osod y cylch cystadlu a'r babell grefft. Wrth weld yr awyr lwyd-ddu a'r cymylau tywyll ben bore, dechreuodd Mr Lewis ddifaru iddo wneud penderfyniad yn y cyfarfod brys.

Toc wedi chwech o'r gloch y bore, roedd Beca newydd orffen paratoi Siani ar gyfer ei thaith yn y lorri. Gwisgai ei chot deithio, rhwymyn pwrpasol am ei chynffon a phadiau diogelwch am ei choesau.

Roedd Hugo wedi cyrraedd y clos yn gynnar hefyd, ac wedi gwneud yn siŵr bod Sionyn yn edrych yn fendigedig gyda phob blewyn yn ei le. Curodd Mrs Lewis ffenest y gegin er mwyn ceisio dal ei sylw a'i wahodd i'r tŷ.

Roedd arogl bacwn yn ffrio yn treiddio drwy'r tŷ ac allan i'r clos erbyn hyn. Rhys oedd y cyntaf i eistedd wrth y bwrdd brecwast tra oedd ei fam yn gweini'r bwyd. Roedd hithau wedi bod wrthi'n gynnar iawn hefyd yn paratoi picnic ar gyfer mynd i'r sioe, gyda sgons, hufen a jam i bwdin.

'Nawr, eistedda 'nghariad i. Ma isie llond bol o fwyd arnat ti er mwyn cael y nerth i redeg rownd y cylch gyda Sionyn bach,' meddai Mrs Lewis wrth Hugo gan arllwys llaeth ffres i'w gwpan.

'Wir i chi, sdim chwant lot o fwyd arna i. Mae 'mol i'n troi a throi. It's like a washing machine!'

39

'Paid â bod mor ddwl,' atebodd Rhys yn swrth gan stwffio'i geg â darn mawr o facwn a oedd yn diferu o sôs coch.

'Gwranda, dw i'n fwy nerfus heddiw wrth feddwl am ddangos Sionyn yn y cylch nag yr ydw i pan dw i'n sefyll yn y gôl ar gae pêl-droed!' meddai Hugo gan ochneidio'n uchel.

'Hy! Mae dangos ceffyl yn rhwydd ond i ti beidio â baglu, syrthio i'r llawr a thorri dy goes o flaen cannoedd o bobl. Neu beth os bydd Sionyn yn dechrau torri gwynt yn uchel dros y lle i gyd a phawb yn meddwl mai ti sydd wrthi!'

'Wel, diolch yn fawr i ti, Rhys. You've really helped my nerves. I feel as sick as a parrot!' atebodd Hugo gan chwarae â'i fysedd chwyslyd.

'Lawr ag e, Hugo bach. *Eat up*, ac anwybydda sylwebaeth Rhys bach ni,' siarsiodd Mrs Lewis gan osod brecwast mawr seimllyd o'i flaen. 'There's nothing like a breakfast of good Welsh bacon and eggs to start your day.'

Dechreuodd Hugo bigo'i fwyd wrth i Mr Lewis ymuno â'r criw wrth y bwrdd. Roedd e wedi gorffen godro ac roedd y lorri laeth newydd adael am y ffatri.

'Ble mae Beca 'te?' gofynnodd.

'She's out giving Siani hay and water. Yn y stablau,' atebodd Hugo. 'Here she comes now.'

'Brecwast, Beca?' gofynnodd ei mam.

'W, ie plis, a digon o facwn a madarch!' atebodd gan gicio'i welingtons oddi ar ei thraed.

Bwytaodd pawb yn awchus. Roedd diwrnod hir o'u blaenau a phe bai Siani, Sionyn neu Bertha'n ennill yn eu dosbarthiadau yna, efallai, y byddai ganddyn nhw siawns o ennill y bencampwriaeth ar ddiwedd y dydd. Roedd Beca wedi breuddwydio am ennill y bencampwriaeth yn Sioe Aberteifi ers pan oedd hi'n ifanc iawn. Dychmygai siglo llaw â'r beirniad wrth iddo estyn y rhosglwm coch iddi a hithau'n gwrido wrth i bawb o'u hamgylch guro'u dwylo a bloeddio negeseuon o gefnogaeth iddi.

'Beca fach, wyt ti'n iawn?' holodd ei mam yn garedig.

'Ydw, siŵr. Dim ond meddwl pa mor braf fyddai ennill yn y sioe,' atebodd Beca'n obeithiol.

'Ond cofia di, y cymryd rhan sy'n bwysig ac nid yr ennill,' pwysleisiodd Mr Lewis. 'Nawr 'te, blantos, gwell i ni ei siapio hi neu fe fyddwn ni'n hwyr. Mae beirniaid yn casáu cystadleuwyr hwyr, cofiwch!'

Taflodd ddarn o facwn at Cari, y ci defaid, a oedd yn eistedd yn ddisgwylgar wrth ddrws y gegin. Bwytaodd honno'r cig yn awchus cyn mynd allan i'r clos i fusnesa.

Gosododd Beca gyfrwy a ffrwyn Siani yn y lorri, ynghyd â ffrwyn Sionyn a Bertha. Roedd hi wedi treulio oriau'r noson cynt yn rhwbio olew i'r lledr er mwyn ei wneud yn feddal ac yn ddiogel ar flew'r ceffyl.

Aeth Rhys a Hugo i nôl y bwcedi a'r drwm dŵr, y rhwydi gwair a'r bocs brwsys, a'u gosod yn daclus ar lawr y lorri.

'Allwn ni deithio uwchben y cab, yn y lorri Luton, Dad?' gofynnodd Rhys. 'Pliiiiis?'

Roedd Rhys wrth ei fodd yn teithio yn y Luton, sef lle arbennig yn y cab i rywun gysgu. Roedd gan y lorri ddwy ffenest bob ochr iddi a gallai'r plant eistedd yno'n syllu ar bawb a phopeth.

'Dim ond i chi fihafio!' meddai Mr Lewis.

'O grêt! Diolch, Dad,' meddai Rhys gan wenu.

Arweiniodd Mr Lewis ei geffyl hela i fyny'r ramp a'i glymu'n ddiogel. Yna, arweiniodd Beca Siani wrth i Hugo arwain

Sionyn. Ar ôl gwneud yn siŵr eu bod nhw'n gyfforddus a bod digon o wair ganddyn nhw, gwasgodd Mr Lewis y botwm er mwyn cau'r ramp electronig yn dynn.

Eisteddodd Mr Lewis wrth yr olwyn lywio, a'i wraig a Cari wrth ei ochr yn edrych ymlaen at y siwrnai.

'Diolch byth bod y cymyle duon 'na wedi diflannu o'r diwedd,' meddai Mr Lewis gan wisgo'i sbectol haul cyn tanio'r injan.

'Barod, blant?' gwaeddodd Anna.

'Barod,' atebodd y tri o'r lle cysgu.

'Bant â ni 'te. Sioe Amaethyddol Aberteifi amdani!' atebodd Mrs Lewis yn hyderus.

'Ie, glei! A gobeithio na fyddwn ni'n dod wyneb yn wyneb â tharw mawr ffyrnig fel y tro diwethaf!' chwarddodd Beca o'r lle cysgu.

# Pennod 8

Yn ôl y disgwyl, roedd rhes hir o lorïau a threilyrs yn aros i gael eu tynnu gan dractor o'r ffordd fawr i mewn i faes y sioe. Roedd y mwd yn garped trwchus o siocled a hufen, a chorddai hwnnw wrth i deiars y cerbydau fynd drwyddo.

'Dyw hi ddim yn dywydd sandalau eto, felly!' meddai Mrs Lewis wrth iddyn nhw gael eu tynnu i'r cae. Wedi diffodd injan y lorri, taclusodd Hugo ei wallt, coler ei grys a'i dei batrymog.

'Gwell i ti ymarfer cerdded Sionyn cyn mynd i'r cylch,' awgrymodd Beca. 'Dyw e ddim wedi bod mewn sioe ers i ni gystadlu yn y Sioe Frenhinol pan oedd e'n ebol.

Bydd pethau'n siŵr o fod yn ddieithr iddo.'

Dechreuodd Hugo gerdded Sionyn o amgylch maes parcio'r lorïau. Gweryrodd yntau'n frwd wrth weld ceffylau eraill yn ei basio. Ciciodd ei goesau i'r awyr a rholio'i lygaid. Roedd e'n amlwg wedi'i gyffroi. Gafaelodd Hugo'n dynn yn y rhaff ledr. Y peth gwaethaf posib allai ddigwydd iddo oedd i Sionyn ddianc yn y sioe a mynd ar grwydr!

'Ti'n mynd i hala dy hunan yn benysgafn yn mynd rownd a rownd fel 'na, Hugo bach. Just stand here with me to watch the bulls parading,' meddai Rhys.

'Ond mae'n bwysig ei fod e'n cerdded Sionyn o amgylch y maes er mwyn iddo gyfarwyddo â'r lleoliad, y synau gwahanol a'r cynnwrf,' esboniodd Beca. 'Os na fydd e'n bihafio y tu allan i'r cylch, pa obaith sydd gyda fe y tu fewn, dwed?'

'O Beca, Beca! Ti'n mynd o flaen gofid 'to,' atebodd Rhys gan geisio bod yn hollwybodus. Roedd e'n gwybod yn well, meddyliodd – yn llawer gwell hefyd.

'Anwybydda fy chwaer fach i, Hugo, a dere i weld maint y tarw 'ma. Nefi, dychmyga'r cig sydd ar hwnna! Am fyrgyr braf!' meddai gan rwbio'i fol a llyfu ei wefusau.

Rholiodd Beca ei llygaid mewn anobaith. Doedd dim pwynt dadlau â'i brawd a phenderfynodd gadw'n dawel. Wedi'r cyfan, roedd ganddi ddigon o waith paratoi Siani ar gyfer y gystadleuaeth.

'Hei, Beca, dyma gatalog y sioe i ti,' meddai ei thad. 'Edrych ar dudalen wyth, mae dy enw di yno.'

Trodd Beca i'r dudalen gywir a gwelodd ei henw hi a Siani arni'n blaen. Roedd wyth marchog a cheffyl yn ei dosbarth, ac wrth wibio drwy'r enwau, gwelodd fod Nia ac Osian yn ei herbyn. Suddodd ei chalon. Doedd fawr o obaith iddi hi a Siani, felly!

'Hy! Sdim pwynt cystadlu,' ebychodd gan blethu ei breichiau'n bwdlyd.

'Beth sy'n bod, Beca fach?' gofynnodd ei thad wrth gydio yn y catalog.

'Wel, Nia ac Osian sydd yn mynd i ennill. Mae'r ddau bob amser yn ennill yn y dosbarth merlota. Dyw bywyd ddim yn deg!'

'Beca, Beca! Dim ond i ti a Siani wneud eich gorau glas a mwynhau, does dim ots pwy sy'n ennill.'

Wffitiodd Beca gyngor ei thad. Roedd ei thad yn iawn, wrth gwrs, ond roedd hi'n dal yn teimlo'n siomedig. Aeth ati i dynnu cot chwys y gaseg oddi ar ei chefn a dechrau ei brwsio'n drwyadl. Ar ôl hynny, dechreuodd drin ei mwng a'i chynffon. Roedd hi wedi eu golchi a'u plethu'r noson cynt er mwyn iddynt fod yn gyrliog. Y cyfan oedd angen ei wneud yn awr oedd tynnu'r plethau'n rhydd i gyd a'u cribo. Edrychai Siani'n arbennig o hardd a'i chynffon yn syrthio'n donnau duon hyd at ei charnau sgleiniog.

'O Siani, ti'n edrych yn biwtiffwl. Ti fel model!' meddai Beca wrth orffen twtio'i mwng a gosod olew ar ei charnau. 'Tase 'na wobr am y poni lana' heddi, ti fyddai'n ei hennill!'

Safai Siani'n urddasol, yn gwmws fel petai hi'n gwybod ei bod hi'n edrych yn hardd. Disgleiriai ei chot yn yr haul a sgleiniai'r blew bach fflwffog fel diamwntau dros ei chorff.

## Pennod 9

Yng nghanol y cylch ymarfer, eisteddai Beca ar gefn Siani – ei chefn yn syth, ei hysgwyddau am yn ôl a'i choesau'n gorwedd yn dwt bob ochr i'r cyfrwy lledr. Roedd hi wedi gwneud ymdrech fawr er mwyn i'r ddwy edrych ar eu gorau glas ac roedd ei mam wedi bod yn chwilio am fisoedd am nwyddau iddi mewn siopau ail-law. Gwisgai dabard melyn dros ei chot frethyn, menig gyda gafael ynddyn nhw a het farchogaeth â gorchudd melyn llachar drosti.

Roedd Siani i'w gweld o bell hefyd, diolch i'r holl bethau fflworoleuol oedd amdani fel bod gyrwyr yn gallu eu gweld ar y ffordd fawr. Gwisgai rwymyn melyn am ei chynffon a bandiau llachar am ei choesau. Cariai chwip fflworoleuol amryliw hefyd – dyna beth oedd golygfa!

Roedd Beca wedi cael gwared ar y darn lledr a âi o amgylch trwyn Siani fel y gallai wisgo penwast disglair am ei phen o dan y ffrwyn. Roedd ganddi awenau glas a gafael ynddyn nhw hefyd – yr awenau perffaith ar gyfer marchogaeth mewn tywydd gwlyb. Yn y bag oedd wedi'i lynu'n ddiogel wrth ei chyfrwy ger ei phen-glin, cariai:

1. ffôn symudol
2. arian rhag ofn y byddai eisiau defnyddio ffôn ar frys petai ei ffôn symudol yn methu neu os nad oedd ganddi signal
3. glanhawr carnau er mwyn glanhau carnau Siani petai cerrig ynddynt
4. cwmpawd
5. map
6. pìn cau

7. manylion cyswllt (rhifau ffôn mewn argyfwng) a manylion alergedd
8. cordyn bêls er mwyn clymu darn o'r ffrwyn petai'n torri neu i glymu Siani wrth glwyd neu goeden
9. plastar
10. hufen antiseptig ar gyfer Siani a hithau
11. rhwymyn crêp
12. siocled i gael egni
13. diod egni

'Wel, roeddet ti'n edrych fel coeden Nadolig adeg y daith noddedig a nawr rwyt ti fel goleudy,' meddai Rhys gan chwerthin.

'Grêt, dyna yw pwrpas yr holl ddillad a'r nwyddau melyn 'ma. Ti'n gallu 'ngweld i o bell!' atebodd Beca'n swta.

Taflodd wên slei ar ei brawd ac fe wnaeth hithau a Siani drotian i'r cylch cystadlu'n hyderus.

Roedd wyth o farchogion yn cystadlu –

rhai profiadol a rhai amatur, yn oedolion ac yn blant. Siani oedd y ceffyl lleiaf yno.

Cerddodd y ceffylau o amgylch y cylch, ac yna gorchmynnodd y stiward iddyn nhw drotian ymlaen, rownd a rownd, a rownd a rownd hyd nes bod coesau bach byr Siani wedi blino'n lân.

'Thank you, now walk and change the rein, please,' meddai'r stiward o ganol y cylch.

Ar ôl newid yr awen, ailddechreuodd y ceffylau drotian. Edrychodd y beirniad yn graff arnyn nhw bob un. Roedd angen ceffyl cryf â choes ym mhob cornel i fod yn addas ar gyfer cerdded tir mynyddig a charegog ar siwrnai hir. Ceffyl doeth, synhwyrol a diogel a fyddai'n eich cludo'n hapus o un lle i'r llall.

'Walk, please, and come into the centre in any order,' meddai'r stiward eto.

Safodd Siani'n stond, yn pwffian a phwffian wedi'r holl ymarfer corff. Safodd

Osian, a Nia ar ei gefn, y drws nesaf iddyn nhw.

Galwodd y beirniad ar Beca a Siani i sefyll o'i flaen.

'Bore da,' meddai wrth Beca.

'Bore da,' atebodd Beca'n swil.

'A faint yw oedran y gaseg hon?' gofynnodd wrth gerdded o gwmpas Siani gan edrych ar ei choesau a'i charnau bach cryf wrth holi.

'Mae'n ddeg a hanner,' meddai Beca gan wenu.

'Ydych chi'n ei marchogaeth hi dipyn?'

'Ydw. Mae Siani a finne'n mwynhau mynd ar daith o amgylch yr ardal bob penwythnos. Ry'n ni wrth ein bodd yn mynd i'r traeth hefyd a charlamu drwy'r tonnau.'

Rhwbiodd y beirniad wddf Siani'n dyner.

'Nawr 'te, esbonia beth sydd gyda ti yn dy fag.'

Tynnodd Beca'r nwyddau o'i bag a'u

dangos i'r beirniad. Esboniodd beth oedd pwrpas pob un yn eu tro.

'Da iawn ti, mae'n amlwg dy fod wedi meddwl am bopeth,' dywedodd y beirniad. 'Nawr 'te, a wnei di ddangos y gaseg 'ma'n cerdded, yn trotian ac yn carlamu. Yna, dere 'nôl ata i ac fe wna i ofyn i ti ddod oddi ar y gaseg a'i harwain i gyfeiriad y gynulleidfa ac wedyn yn ôl ata i. Ar ôl i ti wneud hynny, bydd angen i ti eistedd unwaith eto yn y cyfrwy gan fynd iddo o'r ochr arall. Deall?' holodd.

Nodiodd Beca. Roedd ganddi gymaint i'w gofio! Roedd hyn yn waeth na cheisio cofio cwrs neidio mewn sioe neu ddarn adrodd yn eisteddfod yr ysgol. Dechreuodd chwysu ac anadlu'n drwm.

'Dere di, Siani fach! Dere i ni gael dangos i'r beirniad beth allwn ni wneud!'

Gwasgodd ochrau Siani a dechreuodd y gaseg fach drotian yn egnïol o amgylch y cylch cystadlu. Fe wnaeth hi drotian ar siâp ffigwr wyth ac yna carlamodd o amgylch y cylch yn gyflym am ychydig. Roedd Siani wedi ymddwyn yn berffaith, chwarae teg iddi.

Dychwelodd at y beirniad. Tynnodd Beca ei thraed allan o'r gwartholion gan neidio oddi ar y gaseg a glanio'n dwt ar y llawr. Tynnodd yr awenau dros ben Siani. Gosododd y gwarthol dde dros y cyfrwy ac yna'r gwarthol chwith fel eu bod yn gwneud siâp croes. Arweiniodd Beca'r gaseg i gyfeiriad y gynulleidfa ac yna dychwelodd at y beirniad. Gosododd y gwartholion yn ôl yn eu lle a'r awenau dros ben y gaseg. Ymestynnodd ei choes dde i'r gwarthol, ac roedd hynny'n anodd! Doedd hi ddim yn gyfarwydd â cheisio eistedd yn y cyfrwy o'r ochr yma, a stryffaglodd i godi ei choes chwith i'r awyr. Ceisiodd Beca dro ar ôl tro, ond dechreuodd Siani gael llond bol. Penderfynodd hithau bori'r borfa felys a chamu ymlaen rai camau.

'Aros yn llonydd, wnei di!' gorchmyn-nodd Beca.

Ond doedd Siani'n gwrando dim.

'Aros yn llonydd! Gorchmynnodd eto, gyda goslef ei llais yn ddwfn ac yn gadarn.

O'r diwedd, wedi'r chweched cynnig, llwyddodd i godi ei choes chwith dros y cyfrwy gan eistedd yn glep ar gefn Siani.

'Diolch,' meddai'r beirniad, ac aeth Beca yn ôl i'r rhes at weddill y cystadleuwyr.

Tro Nia ac Osian oedd hi nesaf, ac yna'r marchogion eraill, bob un yn eu tro. Ar ôl carlamu ar hyd un ochr o'r cylch, carlamodd Nia yn gyflymach a chyflymach cyn tynnu'r awenau a gorchymyn i Osian drotian ac yna cerdded. Wedyn, ar ôl i bawb gael eu tro, roedd hi'n amser i'r beirniad wneud ei benderfyniad. Ai Beca a Siani fyddai'n derbyn y rhosglwm coch eleni, tybed?

# Pennod 10

Syllai Mr Lloyd, y beirniad, yn graff ar y ceffylau'n cerdded ling-di-long o amgylch y cylch. Roedd hi'n benderfyniad anodd gyda chymaint o geffylau da. Ond rhaid oedd iddo ddewis yr enillydd. Edrychodd Beca draw ato yn y gobaith y byddai'n codi ei het ac yn ei dewis hi, ond doedd e ddim yn edrych i'w chyfeiriad hi o gwbl.

Teimlai Beca'n siomedig wrth weld Mr Lloyd yn siarad â'r stiward. Roedd yr eiliadau fel munudau. Yna, clywodd y dorf yn dechrau curo'u dwylo wrth i Mr Lloyd ddewis Nia ac Osian yn gyntaf, merch â choben Gymreig yn ail a bachgen ar boni liw yn drydydd. Dyna ni, felly. Doedd dim i'w wneud, meddyliodd Beca, a cheisiodd wenu. Teimlai'n siomedig iawn ac fe wnaeth ei gorau i gadw'r dagrau draw. Yna'n sydyn, drwy gornel ei llygad, gwelodd y stiward yn pwyntio'i fys ati hi! Roedd hi wedi cael ei dewis yn bedwerydd! Rhwbiodd wddf Siani wrth drotian i ganol y cylch. O leiaf byddai'n cael rhosglwm arall yn awr i addurno'i hystafell wely, meddyliodd.

'Caseg dda, caseg dda,' meddai Beca wrth Siani.

'Da iawn, Beca!' gwaeddodd Nia.

'O diolch, Nia. A llongyfarchiade i tithe. Grêt!' bloeddiodd Beca'n ôl.

Yn dawel bach, teimlai Beca'n genfigennus, ond gwyddai nad oedd modd ennill pob cystadleuaeth. Rhaid oedd i rywun golli ac efallai y byddai'n wahanol y flwyddyn nesaf. Gallai ymarfer yn fwy trwyadl erbyn hynny, meddyliodd.

Cyflwynodd Mr Lloyd rosglwm i'r pedwar cystadleuydd buddugol a diolchodd i'r gweddill am gymryd rhan.

'Wel, fe wnaethoch chi'n rhyfeddol o dda,' meddai Mr Lloyd gan siglo llaw Beca a chyflwyno'r rhosglwm iddi. 'Mae caseg dda iawn gyda chi. Trueni na wnaeth hi sefyll yn llonydd pan wnaethoch chi geisio eistedd am yr eildro yn y cyfrwy! Ond daliwch ati,' meddai'n garedig. 'Gall poni Shetland wneud cystal â chobyn Cymreig unrhyw ddydd!' ychwanegodd.

Teimlai Beca'n hynod falch o'i champ ac wrth iddi blygu ymlaen i osod y rhosglwm melyn ac oren ar ffrwyn Siani, gwenodd ei mam a'i thad arni o ymyl y cylch.

'Diolch yn fawr i chi,' meddai Mr Lloyd wrth yr holl gystadleuwyr. Mewn rhes, un ar ôl y llall, carlamodd y cystadleuwyr o amgylch y cylch i ganmoliaeth y dorf. Cynhyrfodd Siani a chyflymodd ei charnau. Rhoddodd gic falch i'r awyr nes bod Beca bron â syrthio oddi arni. Drwy lwc, llwyddodd Beca i afael yn dynn ym mwng Siani a gwasgu ei choesau am y cyfrwy.

'Wel, efallai na wnest ti ennill y tro 'ma, Beca fach, ond fe wnest ti lwyddo i eistedd yn dwt ac yn ddiogel ar gefn Siani!' meddai Mrs Lewis wrth gerdded gyda Beca a Siani allan o'r cylch.

'Ac yn well na hynny, fe ges i lun ohonot ti'n cael dy daflu i'r aer!' ychwanegodd Rhys gan redeg oddi wrthi â'r camera yn ei law.

'O, bechgyn!' wfftiodd Beca.

# Pennod 11

Ar ôl mynd â'r ceffylau 'nôl i'r lorri a rhoi gwair a dŵr ffres iddyn nhw, penderfynodd Beca a Nia fynd am dro o amgylch maes y sioe. Ond cyn mynd, gwnaeth Beca'n siŵr ei bod yn rhwbio eli haul dros ei breichiau, ei gwddf a'i hwyneb gan dalu sylw manwl i'w thrwyn gan fod yr haul bellach yn tywynnu'n braf yn yr awyr uwchben. Roedd hi wedi llosgi ei bochau a'i thrwyn yn y sioe y llynedd, a doedd hi ddim am edrych fel clown eleni eto!

Twtiodd ei gwallt a gosododd het big am ei phen. Teimlai'n ddigon trendi wrth edrych ar ei hun yn nrych y lorri. Roedd hi'n barod bellach i fynd o gwmpas y sioe ar ei phen ei hun.

'Wela i chi wedyn,' esboniodd Beca wrth ei rhieni.

'Ocê. Byddwch yn ofalus,' atebodd ei mam. ' A chadwch bant o'r teirw 'na!'

'Ocê Mam, ocê Dad,' meddai. 'Nid babi ydw i!'

Cerddodd y ffrindiau fraich ym mraich drwy faes parcio'r lorïau ceffylau.

'Edrych!' meddai Nia'n sydyn. 'Y boi sy'n cyflwyno *Rasus ar Garlam* ar S4C!'

Gwridodd y ddwy ffrind wrth weld Brychan Llŷr yn cerdded heibio iddyn nhw.

'Dw i'n dwlu ar y gyfres 'na!' meddai Nia'n gynhyrfus ar ôl iddo fynd. 'Alla i ddim aros am rasus yr helfa ganol mis Medi.'

'Na finne! Mae Dad yn stiwardio, dw i'n meddwl. Hei, beth am i ni fynd draw i ofyn am ei lofnod,' awgrymodd Beca.

'Na, allwn ni ddim!'

'Pam lai? Dere wnei di, a phaid â bod mor swil.'

Beca oedd y fwyaf hyderus o'r ddwy, a hi wnaeth y siarad i gyd.

'Wrth gwrs, ferched,' meddai'r cyflwynydd yn garedig. 'Ydych chi wedi bod yn cystadlu heddiw 'te?' holodd wrth ysgrifennu ei lofnod. Soniodd Beca am y gystadleuaeth gyda Siani ac Osian a'i bod hi wedi derbyn rhosglwm melyn ac oren am fod yn y pedwerydd safle a bod Nia ac Osian wedi ennill.

'Wel, llongyfarchiade ferched. Joiwch weddill y diwrnod.'

Gyda llofnod Brychan Llŷr yn ddiogel yn eu dwylo, penderfynodd y ddwy nôl candi-fflos a chan o Coke cyn mynd i eistedd ger y cylch mawr i wylio ychydig rhagor o gystadlu yn yr adran geffylau.

'O, edrych Beca. Mae'r ci 'na fanna yn debyg i Cari,' meddai Nia gan bwyntio at gi bach annwyl mewn car, a'i bawennau yn taro yn erbyn y ffenest gefn. Roedd y ci'n cyfarth fel rhywbeth dwl.

'O, druan ag e. Mae ffenestri'r car i gyd ar gau. Rhaid ei fod e'n berwi!' meddai Beca gan nesáu at y car. 'O, does dim dŵr ganddo chwaith! Rhaid i ni ei helpu,' meddai Beca.

Roedd Beca eisoes wedi darllen am beryglon cadw ci mewn car pan oedd y tywydd yn braf ac roedd Mrs Lewis wedi gosod sticer ar ei char yn rhybuddio pobl i beidio â gwneud hynny.

'Beth am gysylltu ag ysgrifenyddes y sioe?'

Ymhen dim, roedd rhif cofrestru'r car yn cael ei gyhoeddi ar yr uchelseinydd:

'Please would the owner of the car return to the vehicle immediately. This is a matter of urgency.'

Aeth Nia a Beca yn ôl at y car gan aros yn amyneddgar. Daeth cadeirydd a llywydd y sioe draw atyn nhw hefyd. Wedi pum munud a mwy o aros, penderfynodd y cadeirydd bod yn rhaid iddyn nhw alw'r heddlu. Erbyn hynny, roedd y ci bach yn gorwedd yn llonydd ar y sedd gefn. Roedd yn anadlu'n drymach a thrymach.

Mewn rhai munudau, cyrhaeddodd dau heddwas. Roedd Mr Lewis wedi gweld y cynnwrf o'i lorri, a phenderfynodd fynd draw i weld beth oedd yn digwydd. Yn dynn wrth ei sodlau, cyrhaeddodd perchennog y ci hefyd – gŵr canol oed digon garw ei olwg. Bu ychydig o drafod rhyngddo â'r swyddogion cyn iddo gyhoeddi'n uchel:

'Cewch chi gadw'r ci – sdim ots da fi. Mae'r ci yn fwy o niwsans na'i werth e! Hen beth drewllyd fuodd e erioed!'

Agorodd y perchennog ddrws y car, a chododd un o'r heddweision y ci allan a'i osod ar y borfa gerllaw. Gorweddodd y ci'n llipa am rai eiliadau, ac yna, wrth iddo anadlu'r awyr iach, safodd yn sigledig ar ei draed. Rhuthrodd yr ysgrifenyddes i chwilio am fowlen er mwyn rhoi dŵr iddo.

'Felly, dych chi ddim eisiau'r ci?' holodd Mr Lewis.

'Nadw, wir!' atebodd yn swta. 'Ro'n i wedi trefnu cwrdd â phrynwr yma yn y sioe ben bore, ond ddaeth neb yn agos!'

'Fe wna i ei gymryd gennych,' meddai Mr Lewis yn bwyllog. Edrychodd Nia a Beca ar ei gilydd yn syn. 'Oes enw arno?'

'Enw?' atebodd y dyn. 'Dyw e erioed wedi cael enw.'

'Wel,' edrychodd Mr Lewis i fyw llygaid y creadur, 'Teifi fydd dy enw di o hyn ymlaen, am mai yn Sioe Aberteifi fuon ni'n ddigon lwcus i dy gael di,' ychwanegodd gan roi cwtsh mawr i'r ci. 'Fe gei di ddigon o faldod ar fferm Parc yr Ebol. Bydd Cari, ein ci defaid ni, wrth ei bodd.' Cliciodd ei fysedd sawl tro. 'Dere di, dere 'ma,' meddai. A chyda hynny, rhedodd y ci ato gan siglo'i gynffon yn hapus. 'Dere di, bach,' meddai Mr Lewis eto gan afael yn ei goler a'i glymu wrth ddarn hir o gordyn bêls a oedd ganddo yn ei boced. 'Dere i ni gael mynd i chwilio am dipyn bach o gysgod. Mae wedi bod yn ddiwrnod hir, ac unwaith y bydd Hugo a Sionyn a'r ceffylau hela wedi gorffen cystadlu, fe allwn ni fynd am adref,' esboniodd Mr Lewis gan ddylyfu gên.

Aeth Mr Lewis a'i gi newydd 'nôl i'r lorri a phenderfynodd Beca a Nia ddychwelyd i gyfeiriad y prif gylch. Byddai Teifi'n iawn yng nghwmni ei thad am dipyn!

# Pennod 12

'Hei, mae'r ponis Shetland yn y cylch. Dere, neu fe fyddwn ni'n colli cystadleuaeth Hugo a Sionyn,' gwaeddodd Beca.

'Ti a Hugo, wir!' meddai Nia gan wenu a rhoi winc chwareus ar ei ffrind.

'Am weld Sionyn ydw i, dim Hugo, diolch yn fawr i ti! Dim ond ffrindiau ry'n ni a dim ond ffrindiau fyddwn ni hefyd. Ponis sy'n dod gynta bob tro!' protestiodd Beca.

Eisteddodd y ddwy ar fonyn pren ger y cylch. Ychydig oddi wrthyn nhw roedd Mr Lloyd, y beirniad yn eu cystadleuaeth nhw, yn eistedd gyda'i wraig. Roedd y ddau'n rhannu sglodion allan o gôn papur.

'*Go* Hugo, *go* Hugo!' gwaeddodd Rhys ar draws y cae cyn ymuno â'r merched.

'Hisht, wnei di! Cadw dy lais i lawr, nid gêm rygbi yw hon!' dywedodd Beca'n swrth wrth ei brawd. 'Byddi di'n codi braw ar y ceffylau gyda dy weiddi dwl!'

Rholiodd Rhys ei lygaid. 'Hy, merched! Dim byd ond ffwdan,' wfftiodd.

Cerddodd Hugo a Sionyn o amgylch y cylch. Doedd Sionyn ddim yn hapus o gwbl. Roedd e fel rhywbeth gwyllt a doedd e heb ymlacio ers cyrraedd maes y sioe yn gynnar y bore hwnnw. Roedd y posteri amryliw o gwmpas y cylch yn ei gynhyrfu ac yn sydyn, neidiodd i'r awyr wrth glywed llais ar yr uchelseinydd. Bu bron iddo syrthio i'r llawr hefyd wrth weld balŵn fawr binc yn hedfan tuag ato. Dawnsiai ar ei garnau fel petai'n cerdded ar bigau'r drain.

'Fe ddywedais i y dylai Hugo fod wedi cerdded a cherdded Sionyn, yn do?' meddai Beca gan godi ei haeliau ar ei brawd.

'Ond poni Shetland yw e, er mwyn

72

popeth. Mae ponis Shetland yn hawdd iawn i'w trin!' atebodd Rhys.

'Hy, os ydyn nhw mor hawdd â hynny i'w trin, pam nad wyt ti'n dangos Sionyn 'te?' gofynnodd ei dad gan sefyll y tu ôl iddyn nhw a syllu ar y poni bach yn tasgu yma a thraw.

'Wel, gan nad fi yw perchennog Sionyn, falle!' atebodd Rhys yn sarcastig gan blethu ei freichiau. 'Hy, mae ponis Shetland yn hawdd i'w trin a'u trafod,' meddai eto, 'yn debyg iawn i geffylau hela.'

'Rhys bach, mae angen yr un parch, gofal ac amynedd ar bonis Shetland â'r hyn sydd ei angen ar geffylau gwedd, ceffylau hela neu geffylau rasio,' atebodd ei dad.

Erbyn hyn, roedd pethau yn y cylch cystadlu wedi mynd o ddrwg i waeth. Doedd Sionyn ddim yn fodlon trotian na cherdded yn ei flaen.

'C'mon you stubborn pony, get a move on,' poerodd Hugo gan dynnu a thynnu'r rhaff.

Ond po fwyaf yr oedd Hugo'n tynnu, y mwyaf yr oedd Sionyn yn gwrthod symud. Gwridodd Hugo wrth i'r gynulleidfa ddechrau chwerthin.

'C'mon you stupid animal. You're embarrassing!' meddai.

Roedd Hugo'n benderfynol. Dechreuodd anwesu gwddf Sionyn er mwyn ceisio ei demtio i gerdded yn ei flaen. Cynigiodd bolo mint o'i boced iddo cyn dechrau gweiddi arno, ond gwrthod symud carn wnaeth Sionyn. Ymestynnodd y ceffyl bach ei wddf cymaint ag y gallai wrth i Hugo dynnu a thynnu, ond aros yn ei unfan wnaeth Sionyn a'i lygaid yn fflachio'n wyllt. Mewn un ymgais olaf i'w symud, ceisiodd Hugo wthio Sionyn o'r tu ôl. Yna, gafaelodd yn ei gynffon a cheisio'i dynnu am ymlaen! Roedd y dorf yn cael tipyn o hwyl erbyn hyn, ac roedd un ddynes yn chwerthin cymaint nes iddi syrthio oddi ar y bonyn pren i ganol y borfa.

'O, Beca fach, dw i'n ei chael hi'n anodd i beidio â chwerthin,' meddai Mr Lewis.

'Mae'n olygfa ddoniol wir,' ychwanegodd Mrs Lewis, a oedd newydd ymuno â'r criw, 'yn debyg iawn i gartŵn!'

A gan fod Hugo'n tynnu a thynnu ei gynffon, penderfynodd Sionyn eistedd ar ei ben-ôl mewn protest yng nghanol y cylch. Roedd hi'n amlwg nad oedd e'n bwriadu symud cam y prynhawn hwnnw.

'O my God! Get up, Sionyn, get up now!' bloeddiodd Hugo, a oedd erbyn hyn yn gochbiws o'i gorun i'w sawdl. Chwysai fel mochyn a phenderfynodd yr eiliad honno na fyddai'n dangos ceffyl byth eto!

Roedd y gynulleidfa'n chwerthin tra oedd y cystadleuwyr eraill, y beirniad a'r stiward bron yn eu dyblau.

'This is a complete nightmare! Hunllef! Never again!' bloeddiodd.

'Wel, o leiaf dyw Sionyn ddim wedi torri gwynt yn uchel eto!' gwaeddodd Rhys dros y lle i gyd.

Doedd dim amdani. Byddai'n rhaid i Nia a Beca fynd i ganol y cylch cystadlu er mwyn helpu Hugo i arwain Sionyn oddi yno.

'Wel, dw i erioed wedi chwerthin cymaint,' meddai Mr Lloyd, y beirniad, a oedd wedi dilyn Sionyn 'nôl i gyfeiriad y lorri. Cyflwynodd ei hun i rieni Beca gan ddweud bod eu merch wedi marchogaeth yn sobor o dda a bod ganddi ddyfodol disglair iawn ym myd y ceffylau. Esboniodd Mr Lewis ei fod yn cadw ceffylau hela hefyd a'i fod bellach yn chwilio am geffyl i'w wraig.

'Dyw Anna ddim wedi marchogaeth ers iddi gael y plant, a dw i'n credu ei bod hi'n haeddu anrheg arbennig iawn.'

'Wel, galwch heibio. Mae gyda ni ddigon o geffylau ac fe fyddwn ni'n cynnal arwerthiant cyn y Nadolig. Croeso i chi fel teulu alw unrhyw bryd,' esboniodd Mr Lloyd gan estyn cerdyn busnes o'i siaced a'i roi i Mr Lewis.

'Mr Ifor Lloyd, Bridfa Derwen,' darllenodd Mr Lewis yn araf.

'Wel, diolch yn fawr i chi, Mr Lloyd. Byddwn ni'n siŵr o alw yn ystod yr wythnosau nesaf,' meddai wrth ffarwelio â'r beirniad.

'Allwn ni alw mewn siop tships ar y ffordd adre, pliiiiis?' gofynnodd Rhys yn obeithiol ar ôl gorffen llwytho'r ceffylau i gyd yn y lorri.

'Mae stumog eliffant gyda ti, Rhys bach!' atebodd ei fam gan chwerthin.

'Dw i'n dal i dyfu, Mam,' meddai Rhys yn gellweirus.

'Tyfu wir!' atebodd ei dad. 'Wel, ocê 'te. Dw i ddim yn bwriadu coginio heno ar ôl diwrnod mor flinedig, beth bynnag. Sglods a physgodyn ffres amdani 'te!'

# Pennod 13

Rai wythnosau'n ddiweddarach, trefnodd Mr Lewis i'r teulu cyfan ymweld â Bridfa Derwen ger Aberaeron. Roedd y fridfa wedi bod yno ers blynyddoedd a'r ceffylau'n enwog am ennill gwobrau mewn sioeau ar hyd a lled y byd.

'Wel, dw i erioed wedi gweld y fath gasgliad, Mr Lloyd. Mae gyda chi geffylau arbennig o dda yma,' meddai Mrs Lewis. Ysai am fynd â phob un ceffyl adref gyda hi, ond gwyddai mai breuddwyd yn unig fyddai hynny.

'Oes caseg gyda chi ar werth, Ifor? Rhywbeth *sane, safe and sensible*, fel y dywed y Sais.'

Gwenodd Mr Lloyd.

'Wel, fe allem roi pob un sy gyda ni yn y categori yna, wrth gwrs, ond mae angen marchog profiadol ar rai yn fwy na'i gilydd. Cofiwch, does dim byd yn gas amdanyn nhw. Dewch, mae caseg gyda fi fan hyn a allai fod o ddiddordeb i chi.'

Cerddodd Ifor a'r criw draw i'r stablau dan do ger yr arena dywod. Roedd rhesi o stablau yno, a phob ceffyl yn edrych yn fodlon wrth fwyta'u gwair yn hamddenol. Roedd y meirch mewn un adeilad a'r cesig a'r ebolion ifanc mewn adeilad arall.

'Dyma ni,' meddai Mr Lloyd. 'Mae'r gaseg fach ddu yma ar werth . . . i'r cartref cywir, wrth gwrs.'

Syllodd Mrs Lewis arni a gwyddai yr eiliad honno mai hon oedd y gaseg iddi hi. Roedd ganddi goes ym mhob cornel a brest lydan. Edrychai'n urddasol ac yn annwyl. Sgleiniai ei chot ac roedd ganddi ddigon o gefn i gario cyfrwy'n hawdd. Wrth i Mrs

Lewis fynd i mewn i'r stabl, cerddodd y gaseg draw ati a llyfu ei llaw'n dyner.

'O, mae'n berffaith,' meddai Mrs Lewis, wedi gwirioni'n llwyr.

'Ydy, Mam! Mae hi'n gwmws fel Siani fawr,' atebodd Beca gan gynnig polo mint iddi.

'Grêt, fe awn ni amdani 'te,' meddai Mr Lewis heb oedi rhagor.

Edrychodd ei wraig yn syn arno. Doedd bosib eu bod nhw'n gallu fforddio prynu caseg debyg i hon?

'Anrheg ben-blwydd gynnar i ti!' meddai Mr Lewis gan roi cusan addfwyn ar ei thalcen. 'A ffordd o ddweud diolch wrthot ti am fod yn wraig ac yn ffrind arbennig o dda ar hyd y blynyddoedd.'

Teimlai Mrs Lewis yn emosiynol. Roedd hi wrth ei bodd!

'O waw, Mam! Chi'n mynd i gael caseg fach newydd!' meddai Beca. 'A gaf i ei marchogaeth hi hefyd?' holodd Beca'n frwd.

'Wrth gwrs! A byddwn ni'n dwy'n gallu marchogaeth gyda'n gilydd ar hyd lonydd Ceredigion.'

'Wel, dewch wir, mae Myfanwy wedi paratoi gwledd ar eich cyfer, a chacen siocled enfawr i chi'r plant,' meddai Mr Lloyd. 'Dewch i'r tŷ am baned ac yna fe awn ni am dro i'r amgueddfa.'

'Amgueddfa?' holodd Rhys.

'Ie,' atebodd eto. 'Amgueddfa'r Fridfa yn y stablau. Mae'n olrhain hanes ein bridfa ni o'r dechrau hyd at heddiw. Mae'n ddiddorol dros ben,' esboniodd Mr Lloyd.

'O, cŵl,' atebodd Hugo.

'Ie,' cytunodd Rhys. 'Ond cacen siocled yn gyntaf.'

'Meddwl am dy fol eto,' meddai Beca wrth gerdded gyda gweddill y teulu i gyfeiriad y tŷ.

## Pennod 14

Yr wythnos ganlynol, cynhaliwyd rasys yr helfa leol. Roedd yn ddigwyddiad blynyddol gyda pharti mawr i ddilyn. Drwy lwc, roedd hi'n dechrau argoeli i fod yn haf a'r tywydd wedi gwella tipyn.

Er bod y tymor cystadlu pwynt i bwynt ar lefel cenedlaethol wedi dod i ben, roedd yr helfa'n cynnal noson o rasio er mwyn codi arian i'r gronfa. Fel arfer, byddai'r cystadleuwyr yn marchogaeth eu ceffylau yn eu pyjamas ac roedd hi'n olygfa ddoniol iawn. Byddai'r cae a'r trac rasio'n fôr o liw, gyda'r jocis yn eu sidanau amryliw a'u ceffylau wedi'u haddurno'n lliwgar hefyd. Byddai fan fwyd yno hefyd yn gwerthu byrgyrs a selsig, a phabell yn gwerthu diod. Yn y babell honno hefyd y byddai'r ddawns fawreddog yn hwyrach yn y noson.

'Reit 'te, mae'r ras gyntaf ar fin dechrau. Dewch i gefnogi,' meddai Mr Lewis gan dywys y plant i'r llinell gychwyn.

'Pryd fydd ras Siani ac Osian?' holodd Beca'n eiddgar ond yn nerfus ar yr un pryd.

'Ar y diwedd fydd ras y ponis ac mae digon o amser i'w cynhesu cyn hynny,' eglurodd Mr Lewis.

Roedd digon o amser i wylio'r rasys eraill, felly. Rhaid oedd i'r ceffylau a'u jocis garlamu o'r llinell gychwyn mor gyflym â phosib, ac yna o amgylch y trac gan neidio sawl gwaith. Fel arfer, cyfrifoldeb Mr Lewis oedd dal unrhyw geffyl strae oedd wedi colli'i joci ond eleni, roedd e wedi penderfynu cael seibiant a gwylio'r rasys. Ond roedd Mrs Lewis yn dal yn ei chanol hi yn y babell yn dosbarthu cardiau rasio a rhifau cystadlu i'r jocis.

Roedd yna chwe ras i gyd y diwrnod hwnnw. Drwy lwc, llwyddodd pob un ceffyl a joci i orffen y ras gyntaf yn ddiogel, ond roedd yr ail ras yn hollol wahanol . . .

'Daliwch y ceffyl gwyllt na cyn iddo fynd i'r ffordd fawr!' sgrechiodd y stiward yn ei got felen lachar.

'Fe fydd e wedi cyrraedd Boncath mewn chwinciad chwannen os na ddaliwn ni e'n glou!' gwaeddodd rhyw hen ddyn oedd yn pwyso ar ei ffon ac yn anadlu'n ddwfn.

Carlamodd y ceffyl nerth ei garnau at y grid gwartheg. Roedd ei joci wedi syrthio oddi ar ei gefn wrth y bumed naid.

'He's going to jump it!' bloeddiodd un o'r dorf. 'What a fearless horse!' ychwanegodd wrth weld y ceffyl yn clirio'r grid ac yn carlamu allan drwy'r glwyd ac ar hyd y ffordd, gan osgoi sawl car ar yr un pryd.

'He's running blind!' ychwanegodd ei ffrind gan rwbio'i ben yn betrusgar.

'Running blind and worth ten thousand

pounds!' sgrechiodd y perchennog gan redeg ar unwaith i'w char a'i ddilyn.

Doedd Beca, Rhys a'u ffrindiau erioed wedi gweld y fath beth o'r blaen, a syllodd y criw ar y ceffyl gwyllt yn diflannu rownd y gornel a'i gynffon sidanaidd yn chwifio yn y gwynt.

'Dychmyga Siani neu Osian yn carlamu fel 'na,' dywedodd Nia.

'A Sionyn,' ychwanegodd Hugo. 'I'm totally amazed!'

Wrth i ras y plant nesáu, penderfynodd Beca a Nia fynd i baratoi eu ceffylau. Gyda Beca'n ei harwain, fe wnaeth Siani drotian o amgylch y cae a dilynodd Nia ar gefn Osian.

Teimlodd Beca'n swp sâl wrth feddwl am y ras. Teimlodd fel tynnu ei henw'n ôl o'r gystadleuaeth a dweud fod ganddi ben tost, ond roedd ei mam a'i thad a phawb arall, yn deulu ac yn ffrindiau, wedi dod yno i'w chefnogi. Roedd yn rhaid iddi rasio.

Safai Siani ac Osian yn urddasol wrth y llinell gychwyn gyda deg ceffyl arall.

'Un, dau, tri . . .' meddai'r stiward, a bant â nhw. Carlamodd y ceffylau bach nerth eu carnau o amgylch y cwrs. Rownd a rownd fel pethau dwl, a Siani a Beca yn eu plith. Doedd Beca erioed wedi marchogaeth Siani mor gyflym a gafaelodd yn dynn yn ei mwng. Caeodd ei llygaid gan obeithio am y gorau wrth garlamu at y bêls gwellt – y naid gyntaf o chwech. Hedfanodd Siani drostyn nhw, ond gyda hynny, clywodd Beca sgrech y tu ôl iddi. Wedi clirio'r naid yn ddiogel, edrychodd dros ei hysgwydd yn ofalus. Roedd Osian wedi gwrthod y naid a Nia druan wedi cael ei thaflu drwy'r awyr fel roced cyn glanio'r ochr draw ar ei phen-ôl.

Heb sylweddoli ei gam a'r niwed yr oedd wedi'i achosi i'w berchennog, dyma Osian yn ochrgamu'r naid ac yn ailymuno â'r ras. Syrthiodd dau joci arall ar yr ail naid, ac un arall ar y drydedd. Ond rywsut, daliodd Siani ati i neidio'n glir.

'*C'mon* Beca, un naid ar ôl!' gwaeddodd Mr Lewis.

'Cer amdani!' sgrechiodd Nia a oedd ar ei thraed erbyn hyn ac wedi cael ei gwynt ati.

'Dere Siani fach, dere! Carlama nerth dy garnau! Fe allwn ni ennill y ras yma a dangos i bawb fod poni Shetland yn gyflymach na'r un poni arall!' llafarganodd Beca'n uchel wrth garlamu at y naid olaf.

## Pennod 15

Yn sydyn, heb unrhyw rybudd, tasgodd daeargi o ganol y dorf gan ddechrau rhedeg ar ôl Siani! Cododd hwnnw gymaint o ofn ar y gaseg fach nes peri iddi ochrgamu'r naid olaf a dilyn y ceffylau rhydd eraill. Rhedodd y ci'n wyllt ar ôl carnau a chynffonnau'r ceffylau i gyd gan gyfarth a neidio'n chwareus.

'Bobi, dere 'nôl! Dere 'nôl nawr, Bobi!' gwaeddodd ei berchennog. Ond doedd y ci ddim am wrando a pharhaodd i redeg ar ôl y ceffylau.

'Dal yn sownd, Beca!' gwaeddodd ei thad wrth i'r ceffylau ddod rownd y trac unwaith eto.

'Cer o 'ma'r cythraul,' gwaeddodd Beca'n swrth ar y ci.

Tynnodd ar yr awenau'n galed. Tynnodd a thynnodd. Ond wrth iddi wneud hynny, dyma'r awenau'n torri yn ei llaw. Doedd ganddi ddim rheolaeth ar y gaseg fach ac wrth garlamu at y naid olaf, stopiodd Siani'n hollol stond. Hedfanodd Beca o'r cyfrwy gan lanio'n lletchwith ar y borfa.

'Aw! Aw! Fy mraich i! Mae rhywbeth wedi digwydd i 'mraich i,' meddai Beca gan eistedd ar y borfa a gafael yn dynn yn ei garddwrn.

'Welsoch chi'r poni Shetland 'na? Am gaseg beryglus!' wfftiodd rhyw ddynes o ganol y dorf. 'Hy! Mae ponis Shetland yn enwog am fod yn hen bethau bach cas.'

Rhedodd Mr a Mr Lewis draw at ei merch ac aeth Nia i ddal Siani a oedd erbyn hyn wedi ffoi gyda gweddill y ceffylau a'u marchogion i faes parcio'r lorïau.

Roedd Rhys wedi clywed sylwadau'r ddynes gerllaw a phenderfynodd ei herio. Wedi'r cyfan, doedd ei sylwadau ddim yn deg, ddim yn deg o gwbl!

'Esgusodwch fi, ond mae ceffylau Shetland yn geffylau bach annwyl ac addfwyn. Chewch chi ddim gwell ceffyl,' esboniodd Rhys wrthi.

'O? Mae pob poni Shetland dw i wedi dod ar ei thraws yn hollol afiach! Maen nhw'n brathu 'fyd!' bloeddiodd. 'Ac weithiau'n cicio!'

'Y rheswm pam fod ceffylau'n brathu yw oherwydd bod eu perchnogion yn eu bwydo o'r llaw. Felly, pan fydd ceffyl yn gweld eich llaw, mae'n ei chysylltu â bwyd. Mae'n syml,' meddai Rhys. 'Rhaid parchu pob ceffyl yn yr un ffordd,' meddai cyn cerdded oddi yno'n blês iawn ag ef ei hun.

'Aw! Aw!' gwaeddodd Beca o'r llawr.

'Aros di'n llonydd nawr,' meddai ei thad. Edrychodd ar ei braich. Roedd hi'n eithaf di-siâp ac wedi chwyddo. Gwyddai'n syth ei bod wedi'i thorri.

Drwy lwc, roedd ambiwlans yn digwydd bod ar y cae ac o fewn rhai munudau, roedd dau barafeddyg wedi rhedeg draw atyn nhw.

'Does dim dewis gyda ni ond mynd â chi i'r ysbyty,' meddai un ohonyn nhw wrth edrych ar fraich lipa Beca.

'Ond Mam! Dad! Dw i ddim am fynd i'r ysbyty! Dw i'n casáu ysbytai!' meddai'n ddigalon gan ddechrau llefain y glaw. 'A beth am Siani? Mae hi wedi cael braw ofnadwy hefyd!'

'Dere di, Beca fach! Bydd Siani'n iawn, gei di weld. Gall Rhys ofalu amdani'n iawn. Mae'n rhaid i ti fynd i'r ysbyty i gael triniaeth ar dy fraich. Paid â phoeni nawr! Byddi di 'nôl yn y cyfrwy 'na chwap, gei di weld,' meddai Mrs Lewis yn dyner gan hebrwng Beca i gefn yr ambiwlans.

Aeth Mrs Lewis gyda'i merch i'r ysbyty am driniaeth tra oedd Mr Lewis a Rhys yn paratoi Siani ar gyfer y daith adref.

'Wel am ddiwrnod!' meddai Mr Lewis wrth osod rhwymyn am gynffon y gaseg.

'Ie! Diwrnod a hanner. Ro'n i'n siŵr y byddai Beca wedi ennill y ras 'na ac roedd hi a Siani'n haeddu ennill hefyd,' meddai Rhys.

'Oedd, roedd y ddwy yn haeddu ennill, chwarae teg. Fe wnaeth Siani'r union beth y byddai ceffyl hela wedi'i wneud. Druan â Beca fach,' ychwanegodd Mr Lewis yn siomedig.

Wedi i'r perchennog ddal y ci ac ymddiheuro, penderfynwyd, ar ôl trafodaeth hir, mai Siani a Beca oedd enillwyr y ras olaf. Rhoddwyd y rhosglwm coch i Mr Lewis i fynd adref gydag ef i'w roi i Beca.

Y noson honno yn ei gwely, a'i braich mewn plastr hyd at ei phenelin, syllai Beca ar ei rhosglwm ar sil y ffenest gerllaw, a meddyliodd pa mor ffodus oedd hi fod ganddi gaseg fach fel Siani – caseg dda a ffyddlon a oedd yn werth y byd i gyd!

'Ga i fod y cyntaf i arwyddo dy blastr di?' gofynnodd Rhys gan darfu ar ei meddyliau hapus.

'Siani fydd y gyntaf i arwyddo'r plastr gyda'i mwsel. Yna, fe gei di arwyddo dy enw . . . a neges synhwyrol, cofia,' meddai Beca.

Wfftiodd Rhys. Roedd Siani bob amser yn cael blaenoriaeth, meddyliodd. Trodd ar ei sawdl ac aeth i'w ystafell.

'O Rhys? Gyda llaw . . .' gwaeddodd Beca ar ei ôl. Trodd Rhys i edrych arni. 'Diolch am ddal dy dir heddiw drwy ddweud wrth yr hen fenyw 'na fod ceffylau

Shetland yn werth chweil bob tamed,'
meddai gan wenu.

'*Anytime*, chwaer fach,' atebodd gan
wenu 'nôl arni.

# Pennod 16

Canodd y cloc larwm, a thynnodd Beca glustog dros ei phen. Roedd hi'n rhy gynnar o lawer i godi, meddyliodd, ond roedd rhaid newid cot Siani a'i rhoi yn y cae, carthu'r stabl, newid ei dŵr a llenwi ei rhwyd wair. O, ar adegau fel hyn dymunai gael rhywun i wneud y gwaith drosti, yn enwedig nawr. Byddai'n rhaid iddi gael help i wneud popeth nes i'w braich wella.

Rhwbiodd ei llygaid ac yn araf fel malwoden, eisteddodd i fyny yn ei gwely. Gan ddylyfu gên nifer o weithiau, tynnodd y garthen 'nôl oddi arni. Roedd y llawr yn oer o dan fysedd ei thraed, felly neidiodd yn gyflym dros y llawr teils, heibio i ystafell Rhys, a oedd yn dal yn chwyrnu'n uchel, ac i gynhesrwydd y gegin.

Roedd ei thad eisoes wedi codi i odro'r gwartheg, a gallai glywed y peiriant llaeth yn byrlymu a chorddi.

'Sut mae dy fraich di heddi, cariad?' holodd Mrs Lewis gan fynd ati i wneud paned o de i'r ddwy.

'Ocê ar hyn o bryd,' atebodd. 'Ond mae'r plastr yma'n teimlo'n rhyfedd iawn. Mae'n cosi braidd.'

'Fe fydd yn llai poenus o hyn ymlaen, gei di weld,' esboniodd. 'Ond cofia, rhaid i ti fod yn ofalus iawn wrth drin y ceffylau am dipyn.'

Wedi gorffen ei the, stryffaglodd Beca i wisgo'i chot cyn brysio ar draws y clos yn ei phyjamas drwy'r glaw mân, a'i mam yn ei dilyn. Agorodd ddrws y stabl yn awchus.

'Haia blodyn!' meddai Beca wrth Siani.

Gweryrodd Siani'n addfwyn. Roedd hi bob amser yn edrych ymlaen at weld Beca yn y bore a gwyddai y byddai'n cael ei gollwng i'r cae wedi noson o gwsg.

'Ti'n ferch dda heddi?' gofynnodd Beca gan grafu'n dyner o dan fol y gaseg.

Cododd Siani ei gwefus uchaf mewn pleser. Roedd hi wrth ei bodd yn cael ei maldodi.

Yn araf, tynnodd Mrs Lewis y got stabl gynnes oddi ar gefn Siani, a rhoddodd got law amdani. Gafaelodd mewn penwast a'i roi am ei phen cyn arwain y gaseg i'r cae. Roedd Beca'n awyddus iawn i helpu ond roedd y boen yn ei braich yn annioddefol ar adegau ac roedd y meddygon wedi dweud wrthi am gymryd pwyll. Er hynny, llwyddodd i lenwi'r bwced dŵr a'r bwced bwyd heb unrhyw gymorth. Ond roedd rhaid bod yn ofalus er mwyn gwneud yn siŵr fod yr asgwrn yn gwella'n iawn. Doedd hi ddim yn hawdd gofalu am geffyl gydag un llaw yn unig!

'Aros eiliad, Beca fach,' meddai ei thad wrth brysuro ar draws y clos, 'rho Siani yn y cae ar bwys y ffordd heddi, gan 'mod i am gasglu'r defaid at ei gilydd,' esboniodd ei thad. 'Bydd hi wrth ei bodd yn pori'r meillion yn fan 'na.'

Dechreuodd Beca redeg yn araf wrth i Siani drotian wrth ei hymyl i lawr i gyfeiriad y cae ar waelod y lôn.

'Bydd yn dda heddiw nawr, Siani,' sibrydodd Beca i'w chlust. 'Ac fe wela i di heno, biwtiffwl,' meddai gan roi cusan ar fwsel y gaseg.

Ond doedd Siani'n poeni dim am gael ei maldodi'r eiliad honno. Y cyfan oedd ar ei meddwl oedd bwyd ac roedd digon o fwyd yn y cae yma! Carlamodd rownd a rownd y cae fel rhywbeth dwl cyn stopio i gnoi tamaid o borfa'n wyllt, ac yna dechrau carlamu unwaith eto. Am olygfa fendigedig, meddyliodd Beca gan gau'r glwyd yn gyflym y tu ôl iddi. Trodd Beca 'nôl i gyfeiriad clos y fferm gan adael y penwast yn bentwr ar lawr. Ar ôl cyrraedd y stabl, bu Beca a Mrs Lewis wrthi'n ddiwyd yn rhoi trefn ar bethau. Cafodd y rhwyd wair ei llenwi a'i chlymu wrth y mur. Cafodd cot stabl Siani ei hysgwyd a'i rhoi dros y drws yn daclus. Yna, golchwyd ei bwced dŵr a'i ail-lenwi cyn carthu'r stabl a gosod blawd llif yn drwchus ar lawr.

'Perffaith,' meddai Beca'n fodlon gan edrych ar y stabl a oedd erbyn hynny mor lân a chynnes a chroesawgar â'i hystafell wely. 'Diolch, Mam!' ychwanegodd.

'Mae'n iawn. Cei di dalu'r ffafr yn ôl pan fydd angen dy help di arna i ryw ddiwrnod. Nawr 'te, dere i weld Begw!'

Begw? Pwy ar wyneb y ddaear oedd Begw? Ac yna cofiodd yn sydyn pwy oedd hi. Caseg newydd ei mam. Roedd hi wedi anghofio popeth am y gaseg newydd!

'Ond mae'n hanner awr wedi wyth ac fe fydd y bws yn gadael am yr ysgol chwap!' bloeddiodd Beca a oedd wedi dechrau brasgamu i gyfeiriad y tŷ gyda'i gwynt yn ei dwrn.

'Ond Beca fach, does dim ysgol i ti am wythnos arall! Cei di aros gartref er mwyn rhoi cyfle i dy fraich di wella'n iawn,' meddai Mrs Lewis. 'Nawr dere i weld Begw.'

Gwenodd Beca'n fodlon.

Ar yr ochr bellaf i'r stabl dywyll, gallai Beca weld Begw'n sefyll yn llonydd. Agorodd Mrs Lewis y drws a daeth y gaseg ati i'w chyfarch.

'O, Mami! Mae'n lyfli! Mae'r streipen wen ar ei thalcen mor bert.'

'Odi, mae'n sobor o bert. Pan fyddi di wedi mynd yn rhy fawr i farchogaeth Siani, dwi'n gobeithio y byddi di'n gallu marchogaeth Begw,' meddai Mrs Lewis. 'A gobeithio y byddi di'n gallu ennill nifer fawr o rosglymau coch!'

'O diolch, Mam,' meddai Beca.

# Pennod 17

Ychydig dros wythnos yn ddiweddarach, tra oedd Beca'n brysur yn ceisio canolbwyntio mewn gwers fathemateg go ddyrys, roedd Siani wedi bwyta cymaint o borfa fel na allai fwyta'r un blewyn arall. Teimlai fel petai ei bol ar fin byrstio! Dechreuodd gerdded o amgylch y cae. Doedd ganddi fawr o awydd mynd i gysgu, a doedd neb yn cerdded ar hyd y llwybr cyhoeddus a redai drwy ganol y cae chwaith.

Wedi cerdded ling-di-long, rownd a rownd y cae am dipyn, dechreuodd ddiflasu ar hynny hefyd. Yna, sylwodd ar gar Mrs Hwmffra yn cyrraedd y fferm, a phenderfynodd fynd i'w chyfarch wrth y glwyd. Cododd Mrs Hwmffra ei llaw ar y gaseg wrth yrru heibio a gweryrodd Siani'n uchel fel petai'n dweud helô. Edrychodd Siani ar Mrs Hwmffra yn agor cist ei char ac yn nôl ei llysiau a'i ffrwythau arferol ar gyfer ei chymdogion ym Mharc yr Ebol.

'O, Mrs Hwmffra fach! Dewch i mewn. Gadewch y bocsys trwm am eiliad a dewch i'r tŷ i gael cacen a chlonc,' meddai Mrs Lewis wrthi.

'O, wel diolch 'te,' atebodd yr hen wraig ac i mewn â'r ddwy i'r tŷ gan adael cist y car ar agor.

Sniffiodd Siani'r aer. Yn gymysg ag arogl y môr a lenwai ei ffroenau, gallai hefyd arogli'r afalau a'r moron ffres yng nghist agored y car. Llyfodd ei gweflau. Er nad oedd Siani am fwyta rhagor o borfa, ysai am blannu ei dannedd i mewn i afal neu foronen ddyfrllyd, ffres . . .

Rhwbiodd y glwyd a phwyso yn ei herbyn, ac er syndod mawr iddi, agorodd

honno'n ddiffwdan. Doedd Beca ddim wedi ei chloi'n ddiogel, a llwyddodd Siani i'w hagor yn hawdd. Heb feddwl ddwywaith, trotiodd Siani draw at gar Mrs Hwmffra, a dechreuodd ymbalfalu yn y bocys gyda'i thrwyn meddal. Bwytaodd y moron a phob afal yn awchus. O! Roedd Siani wrth ei bodd yn bwyta. Gallai fwyta drwy'r dydd a phob dydd. Cofiodd am yr adeg pan fwytaodd yr holl ffrwythau a'r llysiau yn yr eglwys a chael ei dwrdio am wneud hynny. Ond doedd dim i'w rhwystro heddiw. O'r diwedd, pan oedd dim ond pwmpen ac ychydig fadarch ar ôl, penderfynodd Siani fynd am dro . . .

# Pennod 18

Toc wedi hanner awr wedi pedwar y prynhawn, cyrhaeddodd Beca ei chartref.

'Wela i chi ddydd Llun!' gwaeddodd Beca ar yrrwr y bws.

'Mwynha'r penwythnos a sori am yr oedi!' bloeddiodd hwnnw'n ôl gan gau'r drws electronig ar ei hôl a chanu'r corn.

Chwifiodd Beca ei llaw ar ei ffrindiau, ac wrth iddi ddechrau cerdded i gyfeiriad y fferm, pwy oedd yn cerdded y tu ôl i'r bws, yn tuchan a phwffian yn chwyslyd, ond Rhys. Gan fod y bws yn hwyr, roedd e wedi penderfynu cerdded adref y noson honno.

'Hy!' wfftiodd Beca. 'Wedes i y byddwn i adre o dy flaen di!'

'O drwch blewyn!' poerodd Rhys. 'Roedd yn rhaid i mi stopio i glymu lasyn, neu fe fyddwn i wedi bod gartref o flaen yr hen *bone shaker* 'na,' ychwanegodd â'i wynt yn ei ddwrn.

'Ie, ie! Dwed ti. Dere, fe rasiwn ni at y tŷ.'

Roedd Beca wedi anghofio am ei braich wrth osod yr her. Ond doedd ganddi ddim dewis ond gwneud ei gorau. Rhedodd y ddau fel ffyliaid ar hyd y llwybr, heibio i gae Siani, drwy'r clos ac i'r tŷ. Roedd eu rhieni a Mrs Hwmffra'n cael paned o goffi a chacen yn y gegin, ac roedd llond plât o *éclairs* bach siocled yn eu disgwyl ar y bwrdd.

Ar ôl tynnu eu cotiau ac eistedd wrth y bwrdd, tasgodd Beca i fyny ar ei thraed.

'A ble wyt ti'n mynd, Miss Lewis fach?' holodd ei thad.

'I roi tamaid o *éclair* i Siani. Mae'n dwlu arni nhw!'

Rhedodd Beca i'r cae. Dyna od,

meddyliodd i'w hun. Roedd y glwyd ar agor, a doedd dim sôn am Siani'r Shetland yn unman. Ble allai hi fod, tybed? Gollyngodd Beca'r *éclair* i'r llawr cyn rhedeg nerth ei thraed am y stabl. Doedd Siani ddim yno chwaith. Brasgamodd ar ras i'r tŷ i ddweud yr hanes. Yn fyr ei hanadl ac mewn panig gwyllt, bloeddiodd yn hysteraidd dros y lle:

'Mae Siani wedi diflannu! Dyw hi ddim yn y cae. Dyw hi ddim yn y stabl chwaith. Ble allai hi fod?'

'Falle fod rhywun wedi'i dwyn hi?' awgrymodd Rhys gan stwffio'r *éclair* yn gyfan i'w geg.

'Sdim eisiau bod yn ddwl nawr, Rhys. Callia!' meddai Mrs Lewis yn ffyrnig. 'Mae'n rhaid ei bod hi yno'n rhywle. Wnest ti edrych o amgylch y cae yn ofalus? A beth am wrth ochr y cafn dŵr?'

Ceisiodd ei mam fod yn ddewr o flaen Beca, ond o dan y wên gysurus, roedd ei stumog yn corddi. Roedd Siani'n hoff iawn o'i chartref ac roedd hi'n anarferol iawn i'r gaseg fach fynd i unman heb ei ffrind gorau.

Heb oedi mwy, aeth pawb allan i'r clos i chwilio amdani.

'Wel, edrychwch wir! Mae rhai o'r llysiau a'r ffrwythau wedi diflannu. Mae Siani fach yn amlwg wedi bod yn chwilota yng nghist y car,' meddai Mrs Hwmffra gyda gwên. 'Mae hynny'n arwydd da. Mae'n rhaid ei bod hi yma'n rhywle.'

Cerddodd Beca drwy'r caeau gyda Rhys yn bloeddio enw Siani nawr ac yn y man tra oedd y cŵn, Cari a Teifi, yn dilyn yn dynn wrth eu sodlau. Aeth Mr a Mrs Lewis i edrych o amgylch adeiladau'r fferm a phenderfynodd Mrs Hwmffra fynd i chwilio am Siani yn yr ardd o flaen y tŷ. Byddai Siani weithiau'n mwynhau gorffwys yno yn yr haul.

O bedwar o'r gloch tan naw o'r gloch y noson honno, chwiliodd y teulu ym mhob twll a chornel am y gaseg fach. Ond doedd hi ddim i'w gweld yn unman. Aeth Mr

Lewis a Rhys cyn belled â'r traeth, ond doedd dim sôn amdani yno chwaith. Doedd Siani ddim ym mherllan Mrs Hwmffra a doedd hi ddim yn y cae gydag Aneurin. Doedd hi ddim ar iard yr ysgol fach nac ychwaith ar fferm Hugo . . .

Wedi iddi ddechrau nosi, penderfynodd y teulu fod yn rhaid iddyn nhw roi'r gorau i'r helfa tan y bore. Byddai noson dda o gwsg o gymorth i bawb cyn ailddechrau ar y chwilio drannoeth.

'Bydd Siani 'nôl erbyn y bore, gei di weld!' meddai Mrs Lewis wrth ddiffodd golau ystafell Beca.

'O, Mami! Dw i wir yn gobeithio hynny. Siani yw fy ffrind gorau yn y byd i gyd. Beth wna i hebddi?' holodd yn ddigalon. Ac ar ben y cwbl, roedd ei braich yn brifo'n ofnadwy. Trodd Beca ar ei hochr gan wynebu'r wal a llefodd y glaw cyn mynd i gysgu.

Y bore wedyn, doedd dim sôn am Siani ar fferm Parc yr Ebol o hyd. Roedd y sefyllfa'n ddifrifol, felly penderfynodd rhieni Beca fod yn rhaid iddyn nhw alw'r heddlu. Cyrhaeddodd yr heddwas y fferm ymhen rhyw ddeng munud.

'Wel, yn anffodus, nid chi yw'r bobl gyntaf i gysylltu â ni am geffylau a phonis coll. Ry'n ni wedi cael dwy alwad ffôn yn barod y bore 'ma,' esboniodd yr heddwas gan eistedd wrth fwrdd y gegin.

Edrychodd Beca'n syn ar ei mam.

'Dyna Mr Bowen-Smith, Plas y Gorlan, a ffoniodd toc wedi hanner awr wedi saith y bore 'ma i ddweud ei fod wedi colli eboles flwydd o'r cae uwchben y ffordd osgoi. Mae'n debyg fod y gaseg fach yn werth ffortiwn. A thoc wedi wyth o'r gloch, dyma alwad wrth Mrs Jenkins, Bridfa Gorwel, yn dweud ei bod hi wedi colli dau geffyl hela o'i chae ger yr afon,' ychwanegodd yr heddwas. 'Mae'n dipyn o ddirgelwch, wir!'

Dechreuodd Beca grio cyn sefyll ar ei thraed a sgrechian dros y lle:

'Mae rhywun wedi eu dwyn nhw! Ac mae rhywun wedi dwyn Siani'r Shetland!'

'Nawr, nawr, Miss Lewis fach, rhaid inni beidio â mynd o flaen gofid nawr,' meddai'r heddwas wedi'i ysgwyd dipyn gan ymateb Beca. 'Rhaid i ni wneud ymholiadau.'

'Ymholiadau? Tra eich bod chi'n

gwneud ymholiadau, fe allai Siani, fy ffrind gorau yn y byd i gyd, fod ar ei ffordd i'r cyfandir yn rhywle! Does dim eiliad i'w gwastraffu!' bloeddiodd.

Cyn i neb fedru dweud gair arall, roedd Beca'n stryffaglu ei ffordd drwy'r llyfr ffôn.

'Beth wyt ti'n neud?' holodd ei Mam.

'Dw i am ffonio'r cyfryngau. Mae Siani fach yn rhan o'r teulu. Mae hi'n annwyl i fi a dw i ddim am adael i unrhyw leidr ei dwyn hi!' meddai Beca, a'i llais yn awdurdodol ac yn hyderus erbyn hyn. 'Rhys! Ffonia di Nia a Hugo ar dy ffôn symudol, a gofyn iddyn nhw ddod draw i helpu ni i chwilio am Siani!

Aeth Rhys ati'n syth i ffonio'u ffrindiau a dechreuodd Beca wneud ei galwadau ei hun.

'Helô, Beca Lewis sydd yma, o fferm Parc yr Ebol ger Aberteifi, perchennog Siani'r Shetland – y gaseg fach enwog wnaeth atal lladron rhag mynd â hen gloc tad-cu. Fe wnaeth hi achub Rhys o'r tân yn y sièd, codi arian at elusen, achub dynes o'r eira, achub Huwbert yr hwrdd yn ogystal â gorchfygu bol tost ofnadwy! Rhaid i chi helpu Siani. Mae rhywun wedi ei dwyn,' esboniodd Beca gan gymryd anadl hir.

O fewn yr awr, roedd fferm Parc yr Ebol dan ei sang. Roedd criwiau camera o bob man wedi tyrru yno er mwyn cyfweld â Beca. Roedd Rhys, Nia a Hugo yn cael eu cyfweld hefyd, ac roedd rhaglenni cylchgrawn dyddiol S4C wedi penderfynu dechrau ymgyrch i chwilio am Siani fach.

'Wel, wel,' dywedodd yr heddwas gan gymryd ei lymaid olaf o goffi. 'Mae Beca fach yn mynd i wneud yn siŵr bod Siani yn dychwelyd cyn nos. Petai pob perchennog mor frwd â Beca, byddai mwy o ladron yn cael eu dal. A' i ati i wneud ymholiadau 'te. Gysyllta i wedyn.'

'Diolch i chi . . .' atebodd Mrs Lewis yn betrusgar.

# Pennod 19

Tra oedd pawb yn ceisio cysgu ar fferm Parc yr Ebol, roedd Siani'r Shetland yn pendwmpian yn ddigalon yn ei chartref newydd. O'i chwmpas, roedd rhyw hanner cant o geffylau dieithr eraill. Ysai Siani am gael dianc oddi yno a dychwelyd i'w chartref ac at Beca. Ysai hefyd am gael anadlu arogl y môr, yr halen a'r gwymon. Roedd hi'n gweld eisiau Sionyn, Cari a Teifi hefyd, heb sôn am sŵn beic cwad Rhys yn rasio yn ôl ac ymlaen drwy'r amser ar hyd y clos. Fe wnelai hi unrhyw beth am gael bod 'nôl yn ei stabl gysurus hi ei hun!

Symudodd yn aflonydd o un goes i'r llall. Doedd dim posib iddi orwedd gan fod y gwely o wellt o dan ei charnau mor fudr ac wedi llwydo. Petai hi ond wedi aros yn y cae y prynhawn hwnnw ac wedi gwrthod y demtasiwn i fynd i fwyta'r llysiau a'r ffrwythau o gist car Mrs Hwmffra a heb fynd am dro wedyn, efallai na fyddai hi yn y fath dwll nawr, meddyliodd.

Roedd hi'n methu credu'r hyn oedd wedi digwydd iddi. Pwy feddyliai y gallai rhywun fod wedi dwyn Siani'r Shetland? Ac yn waeth na dim, gwyddai'n iawn pwy oedd y lladron hefyd. Wilff George, sef deliwr ceffylau, oedd wedi'i dwyn o ben lôn y fferm. Roedd e a'i gyd-ladron, Norman a Boio, newydd gael eu rhyddhau o'r carchar ar ôl iddyn nhw gael eu dal yn dwyn hen gloc tad-cu o Fferm Parc yr Ebol rai blynyddoedd yn ôl. Dial – dyna beth oedd y tu ôl i'r cyfan, meddyliodd. Rhaid eu bod nhw am dalu'r pwyth yn ôl oherwydd Siani wnaeth rybuddio'r teulu fod 'na ladron ar y clos y noson honno, ac o'i herwydd, fe dreuliodd y ffrindiau gyfnod hir a chaled dan glo.

'Faint wyt ti'n meddwl y cawn ni am y Shetland? Faint yw ei gwerth hi?' gofynnodd Norman i Boio wrth bwyso ar y glwyd.

'Dim syniad. Mae prisiau ceffyle Shetland yn gallu amrywio'n fawr. Ond mae hon yn werth ffortiwn, weden i. Mae'n geffyl eitha enwog . . . enwog iawn, a dweud y gwir.'

'Diawch! Falle gawn ni filoedd amdani 'te!' meddai Norman yn llawn cyffro. 'A dychmyga beth allen ni neud â'r holl arian 'na!'

'W, ie, gwyliau ecsotig yn y Caribî neu daith fach i Efrog Newydd,' cynigiodd Boio. 'Lyyyyyfli!'

Ac ar hynny, dyma Wilff yn ymuno â nhw.

'A beth 'ych chi'ch dau yn ei drafod 'te?' holodd gan glirio'i wddf a phoeri i'r llawr.

'Ym . . . dim, bòs,' atebodd y ddau fel dau barot ofnus.

'Dw i'n siŵr i fi glywed geiriau megis 'ffortiwn' a 'miloedd' yn eich trafodaeth chi. Wel, gair o gyngor bois bach – mae Siani'r Shetland yn werth ffortiwn . . . ffortiwn fawr, a fi fydd biau'r arian i gyd ar ôl ei gwerthu hi. Deall?'

'Deall, bòs,' cytunodd y ddau unwaith eto'n ddigon anesmwyth. Byddai'n beryg bywyd petaen nhw'n tynnu'n groes i Wilff.

Gwrandawai Siani'n astud ar y drafodaeth. Gwerthu! Doedd hi ddim am gael ei gwerthu. Roedd hi am ddianc a dychwelyd i'w chartref – at Beca a'i ffrindiau.

Ond sut oedd hi'n mynd i ddianc? A pha mor bell oedd hi o adref?

## Pennod 20

Ar ôl treulio'r noson gyfan yn sefyll ar ei thraed yn hanner cysgu ac yn hel atgofion, yn dychmygu ac yn breuddwydio, penderfynodd Siani ei bod hi'n mynd i ddianc y bore hwnnw. Doedd dim byd yn mynd i'w hatal, dim hyd yn oed Wilff a'i griw drygionus.

Wrth iddi wawrio, dyma Boio a Norman yn cyrraedd y clòs. Dechreuodd Boio'r hen dractor truenus yr olwg a oedd wedi'i barcio y tu allan i'r stablau ac aeth i gornel bella'r sièd i nôl gwair. Gwyliodd Siani wrth i'r pigynnau ar flaenlwythwr y tractor suddo'n glep i mewn i'r bêl cyn iddo gael ei godi a'i droi i gyfeiriad y ceffylau.

Gweryrai'r rheini'n obeithiol wrth weld y gwair yn eu cyrraedd o'r diwedd. Penderfynodd Siani mai dyma oedd ei chyfle i ddianc. Yn bwyllog a thawel, camodd am yn ôl tuag at gefn y sièd cyn gorwedd yn dawel ar y llawr caled.

'Hei, ble mae'r Siani 'na?' gofynnodd Norman i Boio ymhen ychydig, wrth weld yr holl geffylau'n brwydro dros y gwair.

Edrychodd Boio o amgylch y sièd. Doedd dim sôn amdani. Cododd Boio ei ysgwyddau.

'Wel, gyda ti ma'r olygfa ore!' gwaeddodd Norman. 'Edrych eto!'

Gyda'i chot ddu, roedd Siani'n toddi i gefndir tywyll y sièd yn berffaith a doedd dim modd ei gweld yn cuddio yn y gornel bellaf.

'Dw i ddim yn gallu ei gweld hi,' meddai Boio gan ddod oddi ar y tractor.

'Nefi wen! Bydd Wilff yn mynd o'i go!' sgrechiodd Norman gan dynnu'n chwyrn ar ei wallt anniben.

Wedi tipyn o bendroni a thrafod, penderfynodd y ddau y byddai'n rhaid iddyn nhw fynd i mewn i'r sièd at y ceffylau i chwilio amdani.

'*No way* y byddai'r gaseg fach 'na'n gallu neidio dros y glwyd. Mae'n rhaid ei bod hi mewn yn fan hyn yn rhywle,' meddai Norman. 'Dere, cyn i Wilff gyrraedd.'

Cerddodd y ddau o amgylch y sièd yn dawel bach gan fwrw unrhyw geffyl a ddeuai'n agos â phastwn.

'Gas gen i geffylau,' meddai Boio gan boeri'r un pryd.

'A finne! Maen nhw'n drewi 'fyd,' ychwanegodd Norman gan ddal ei drwyn.

Wrth iddyn nhw agosáu at Siani, dyma'r gaseg fach yn gweld ei chyfle euraid i ddianc. Safodd ar ei thraed a dechrau carlamu tuag at Boio a Norman, ei ffroenau'n llydan agored, ei llygaid yn fflachio a'i thymer yn wyllt. Roedd Siani'n benderfynol yr eiliad honno ei bod hi'n mynd adref. Heb oedi mwy, rhuthrodd heibio'r ddau ddihiryn fel tarw, gan daro Norman yn bendramwnwgl ar ei hyd ar y llawr budr. Neidiodd Boio o'r ffordd hefyd gan hedfan drwy'r awyr a glanio'n glep ar ei ben yng nghanol y domen.

Rhuthrodd Siani yn ei blaen at glwyd y sièd. Doedd Boio heb ei chau'n iawn, felly roedd hi'n ddigon rhwydd i'r gaseg fach ei

hagor led y pen gyda'i mwsel. Carlamodd yn ei blaen, ac wrth iddi wneud hynny, dilynodd y ceffylau eraill hi ar ei hantur fawr.

Carlamodd Siani ymlaen nerth ei charnau gydag eboles Mr Bowen-Smith, Plas y Gorlan, yn ei dilyn. Carlamodd y ddwy heibio i dŷ Wilff ac i gyfeiriad y ffordd fawr. Doedd gan yr un ohonyn nhw syniad sut i gyrraedd adref ond penderfynodd Siani ddilyn ei greddf. Sniffiodd yr aer. Wrth iddi anadlu awyr iach y môr yn ei ffroenau, synhwyrodd ar unwaith mai i'r dde yr oedd Fferm Parc yr Ebol. A chydag un gic uchel i'r awyr o'i hôl, trodd ei golygon i'r cyfeiriad hwnnw.

'Nôl ar iard geffylau Wilff, roedd pethau'n dechrau poethi.

'Beth yffach sydd wedi digwydd?' holodd Wilff, yn amlwg wedi gwylltio. 'A ble ar wyneb y ddaear mae'r Shetland 'na?' poerodd.

Doedd yr un o'r ddau arall am fentro cynnig ateb.

'Wel! Peidwch â sefyll yn fan 'na fel delwau – ewch i chwilio amdani glou, a pheidiwch â dod 'nôl fan hyn hebddi, neu fe fydd 'ma le!'

'Iawn bòs, iawn,' meddai'r ddau. A bant â nhw fel dau gi â'u cynffonnau rhwng eu coesau!

# Pennod 21

Gydag eboles Plas y Gorlan yn dynn wrth ei charnau o hyd, bu raid i Siani a hithau stopio'n sydyn. Erbyn hynny, roedden nhw wedi cyrraedd y ffordd fawr. Ond nid unrhyw ffordd fawr. Roedden nhw wedi cyrraedd cyrion ffordd osgoi tref Aberteifi.

Gwibiai'r ceir heibio'n gyflym wrth i'r lorïau mawr daranu i lawr y ffordd ar ras. Beth allen nhw ei wneud nawr? Edrychodd y ddwy gaseg ar ei gilydd, ac wedi tipyn o anadlu trwm, dyma gyrraedd penderfyniad. Os oedden nhw am gyrraedd adre, doedd dim amdani ond mentro. Felly, dyma ail-gychwyn ar eu taith a charlamu'n wyllt wrth fynd lawr y ffordd osgoi, heibio i'r

archfarchnad fawr ac i ganol y dref.
Wynebau digon syn oedd yn gwylio'r ddwy
gaseg yn carlamu ar hyd prif stryd y dref.
Sgrechiai rhai o weld y ddwy, wrth i eraill
heidio i ddiogelwch siopau cyfagos. Roedd
y traffig ar stop a Siani a'r eboles fach sionc
yn ceisio osgoi pob person, car a phostyn
wrth garlamu i ryddid.

'Hei, Siani'r Shetland yw honna. Mae hi
wedi bod ar goll ers deuddydd!'
gwaeddodd rhywun o ddiogelwch drysau
neuadd y dref.

'Ie! Chi'n iawn. Edrychwch, mae ei llun

hi fan hyn yn y Teifiseid,' meddai rhyw ddynes arall gan agor y papur lleol a dangos llun Siani a Beca'n cystadlu mewn sioe geffylau.

'Hei, gwell i ni ffonio fferm Parc yr Ebol ar unwaith,' awgrymodd rhyw ŵr tal gan dynnu ffôn symudol o'i boced. 'Mae'r rhif o dan y llun.'

Erbyn i'r dyn tal ddod o hyd i'w sbectol a ffonio'r fferm, roedd yr heddlu wedi cyrraedd er mwyn ceisio delio â'r sefyllfa. Llwyddodd un plismon i ddal yr eboles fach yn y cae pêl-droed i fyny'r ffordd, ond doedd Siani ddim yn bwriadu cael ei dal. Carlamodd honno oddi wrth y dorf a'r plismyn rhwystredig a oedd erbyn hynny'n chwys domen ar ôl yr holl redeg a chwrso. Yna, heb oedi mwy, dyma Siani'n cymryd un naid ddewr dros foned car yr heddlu a oedd wedi'i barcio ar draws canol y stryd fawr cyn carlamu yn ei blaen i gyfeiriad y traeth.

'Nefi wen! Welest ti'r Shetland fach

'na'n neidio?' gofynnodd un heddwas i'r llall yn syn.

'D . . . d . . . do! Dw i erioed wedi gweld caseg mor fach yn neidio mor uchel. Mae'r peth yn anhygoel!' meddai hwnnw gan rwbio'i lygaid mewn anghrediniaeth. 'Wa-wiii!'

Roedd Siani'n dechrau tuchan erbyn hyn. Roedd ei chot yn drwm gan chwys a brifai ei charnau bach pitw wedi'r holl garlamu ar hyd y ffyrdd caled. Ond rhaid oedd iddi gadw i fynd os oedd hi am ddychwelyd adref, meddyliodd.

Ar fferm Parc yr Ebol roedd cyffro mawr. Roedd yr alwad ffôn o Aberteifi i ddweud bod Siani wedi cael ei gweld yn achosi helynt yng nghanol y dref wedi codi calonnau pawb. Cyn gynted ag y clywodd y newyddion, dyma Beca'n rhedeg allan i'r clos yn y gobaith y byddai Siani wedi llwyddo i ddod o hyd i'w ffordd adref.

'Siani! Siani!' bloeddiodd. Rhedodd i lawr at waelod y lôn i weld a oedd unrhyw sôn amdani. Syllodd i fyny'r ffordd, ac o'r diwedd, yn y pellter, gallai weld smotyn bach du yn carlamu tuag ati. Craffodd yn agosach. Ie. Siani! Siani oedd hi, doedd dim amheuaeth am hynny.

'O Siani, Siani!' sgrechiodd Beca wrth redeg ati. Arafodd y gaseg o weld ei ffrind. Gafaelodd Beca amdani ac ar ôl rhoi cwtsh anferth iddi, cusanodd ei mwsel dro ar ôl tro.

'O Siani fach, dw i mor falch dy fod ti adref yn ddiogel. Rwy'n meddwl y byd ohonot ti,' meddai Beca.

Gyda hynny, cyrhaeddodd un o geir yr heddlu glos y fferm. Heddwas oedd yno a oedd eisiau gwneud yn siŵr fod Siani wedi dychwelyd yn ddiogel. Esboniodd hefyd fod yr eboles fach 'nôl gyda'i pherchennog a bod hofrennydd yr heddlu wedi dod o hyd i ryw hanner cant o geffylau eraill a oedd wedi'u dwyn ar iard ryw bum milltir i ffwrdd.

'Mae tua deuddeg heddwas yn ymweld â'r iard geffylau nawr,' meddai. 'Fe wnawn ni'n siŵr bod y lladron yn cael eu dal a'u cosbi.'

Gweryrodd Siani fel petai'n deall ac yn cytuno.

'O Siani, fy ffrind gorau yn y byd i gyd, rwyt ti'n gaseg hynod o glyfar,' sibrydodd Beca i'w chlust. 'Dere i weld Sionyn, Bertha a Begw, mae'r tri wedi bod yn hiraethu amdanat ti hefyd.'

## Pennod 22

'Beca! Ma Hugo 'ma i dy weld di,' gwaeddodd ei mam o waelod y grisiau.

Roedd Beca wedi bod yn twtio'i hystafell wely ers awr, bron. Roedd Nia a Hugo wedi aros gyda hi'r noson cynt ac roedden nhw wedi cael parti i ddathlu'r ffaith fod Siani wedi dychwelyd yn ddiogel. Roedd pecynnau creision, *popcorn* a siocledi dros y llawr a daeth o hyd i sawl can o Coke a Tango a oedd wedi rholio o dan ei gwely. Roedd yn gas ganddi lanast, a gwyddai y byddai ei mam yn grac iawn petai'n gweld y fath annibendod, braich mewn plastr neu beidio!

'Ocê, Mam, bydda i yno chwap,' atebodd Beca gan geisio rhoi ychydig bach o drefn ar ei gwallt cyn rhedeg i'r gegin.

'Heia, Becs. Ti'n ocê?' holodd Hugo gan eistedd yn gartrefol ar y soffa.

'Grêt,' atebodd Beca gan ddylyfu gên. Roedd hi wedi bod yn noson hwyr ac roedd hi'n difaru aros yn effro tan un o'r gloch y bore. Roedd gan Nia syniadau dwl weithiau.

'Gwranda, sa i'n gwybod sut mae dweud hyn,' meddai Hugo gan edrych ar y llawr.

'Beth sy'n bod?' gofynnodd Beca wrth eistedd ar ymyl ei sedd. 'Hugo?'

'Wel, dw i am brynu iPod a Nintendo Wii fel Rhys, a'r unig ffordd y galla i wneud hynny yw os gwertha i Sionyn. *I'm sorry, Beca*,' meddai.

Syllodd Beca'n syn arno. O, na! Beth fyddai'n digwydd i Sionyn? Pwy fyddai'n ei brynu? Efallai y byddai tramorwr yn ei brynu ac wedyn ni fyddai hi yn ei weld byth eto! Chwyrlïai llu o gwestiynau a syniadau drwy ei phen ar ras. Teimlai'n sâl. Roedd hi eisiau sgrechian a rhedeg o amgylch y fferm er mwyn ceisio cael gwared ar yr holl syniadau o'i phen.

'Beca, wyt ti'n ocê?' gofynnodd Hugo. 'Rwyt ti'n welw iawn.'

'Dw i'n iawn . . . wir i ti.' Anadlodd yn ddwfn. 'Fe wna i ei brynu'n ôl,' ychwanegodd yn sydyn. 'Dyma gartref Sionyn am byth, yma ar fferm Parc yr Ebol gyda ni.'

Roedd hi'n amlwg fod Hugo wedi cael tipyn o sioc.

'O . . . grêt,' meddai yntau. 'Dw i mor falch.'

'Yn falch o beth?' holodd Mr Lewis wrth iddo dynnu ei got ar ôl dod i'r tŷ.

'Ym, wel, ym . . . dw i wedi . . . ym . . . dwi eisiau prynu Sionyn,' atebodd Beca yn bryderus.

'Beth?' holodd ei thad. Roedd e eisoes wedi dweud nad oedd rhagor o geffylau yn dod i'r fferm.

'O plis, Dad! Fe wna i weithio bob penwythnos er mwyn ennill digon o arian i'w brynu e ac mae Hugo wedi dweud y galla i ei dalu fe 'nôl dros gyfnod o flwyddyn neu fwy,' meddai Beca gan roi winc fawr ar Hugo.

Edrychodd Hugo yn syn ar Beca ac yna ar ei thad.

'Wel, Hugo bach, ydy hyn yn wir?'

'Y . . . ydy, Mr Lewis. Caiff Beca flwyddyn gron i 'nhalu i 'nôl . . . wrth gwrs!' Doedd Hugo ddim mor siŵr ynglŷn â gorfod aros blwyddyn cyn iddo brynu ei Nintendo, wir. Dechreuodd deimlo'n eithaf sâl wrth feddwl am hynny. Eto i gyd, roedd Beca'n ffrind dda iddo.

'Wel, gan dy fod wedi dangos mor glir i ni dy fod yn fodlon aros am yr arian, fe wna i dy dalu di'n syth a chaiff Beca 'y nhalu i? Bargen?'

'Bargen, Mr Lewis! A diolch. Diolch yn fawr.'

'Cacen siocled, unrhyw un?' holodd Mrs Lewis. Pa ffordd well i ddathlu, meddyliodd Beca wrth i bawb eistedd o gwmpas bwrdd y gegin yn llawen. Roedd yr holl gymylau du wedi diflannu o'r diwedd!